Éric-Emmanuel Schmitt

Monsieur Ibrahim et les fleurs du Coran

Herausgegeben von
Ernst Kemmner

D0736286

Philipp Reclam jun. Stuttgart

RECLAMS UNIVERSAL-BIBLIOTHEK Nr. 9118
Alle Rechte vorbehalten
Copyright für diese Ausgabe
© 2003 Philipp Reclam jun. GmbH & Co., Stuttgart
Copyright für den Text © 2001 Éditions Albin Michel S. A., Paris
Umschlagabbildung: Pierre Boulanger (Momo) und Omar Sharif
(Monsieur Ibrahim) in dem Film *Monsieur Ibrahim et les fleurs du
Coran* von François Dupeyron (2003). © ARP Sélection, Paris
Gesamtherstellung: Reclam, Ditzingen. Printed in Germany 2005
RECLAM, UNIVERSAL-BIBLIOTHEK und RECLAMS
UNIVERSAL-BIBLIOTHEK sind eingetragene Marken
der Philipp Reclam jun. GmbH & Co., Stuttgart
ISBN 3-15-009118-7

www.reclam.de

Pour Bruno Abraham-Kremer.

À onze ans, j'ai cassé mon cochon et je suis allé voir les putes.

Mon cochon, c'était une tirelire en porcelaine vernie, couleur de vomi, avec une fente qui permettait à la pièce d'entrer mais pas de sortir. Mon père l'avait choisie, cette tirelire à sens unique, parce qu'elle correspondait à sa conception de la vie: l'argent est fait pour être gardé, pas dépensé.

Il y avait deux cents francs dans les entrailles du cochon. Quatre mois de travail.

Un matin, avant de partir au lycée, mon père m'avait dit:

– Moïse, je ne comprends pas … Il manque de l'argent … désormais, tu inscriras sur le cahier de

---

1 **le cochon:** hier: Sparschwein.
1 f. **aller voir qn:** jdn. aufsuchen, zu jdm. gehen.
2 **la pute:** *la putain* (pop.): Hure, Nutte.
3 **la tirelire:** Sparkässchen.
  la porcelaine: Porzellan.
4 **verni, e:** lackiert; hier: glasiert.
  le vomi: Erbrochenes.
  la fente: Schlitz.
6 **à sens unique:** Einbahn…
9 **les entrailles** (f.): Eingeweide; hier: Inneres, Bauch.
13 **Moïse:** Moses.
14 **désormais:** künftig.
  inscrire: eintragen, aufschreiben.

5

la cuisine tout ce que tu dépenses lorsque tu fais les courses.

Donc, ce n'était pas suffisant de me faire engueuler au lycée comme à la maison, de laver, d'étudier, de cuisiner, de porter les commissions, pas suffisant de vivre seul dans un grand appartement noir, vide et sans amour, d'être l'esclave plutôt que le fils d'un avocat sans affaires et sans femme, il fallait aussi que je passe pour un voleur! Puisque j'étais déjà soupçonné de voler, autant le faire.

Il y avait donc deux cents francs dans les entrailles du cochon. Deux cents francs, c'était le prix d'une fille, rue de Paradis. C'était le prix de l'âge d'homme.

Les premières, elles m'ont demandé ma carte d'identité. Malgré ma voix, malgré mon poids – j'étais gros comme un sac de sucreries –, elles doutaient des seize ans que j'annonçais, elles avaient dû me voir passer et grandir, toutes ces dernières années, accroché à mon filet de légumes.

---

3 f. **se faire engueuler** (fam.): angeschnauzt werden, eins auf den Deckel kriegen.
5 **les commissions** (f.): Besorgungen, Einkäufe.
8 **les affaires** (f.): hier: Aufträge, Fälle.
9 **passer pour qn:** als jemand gelten.
10 **autant le faire:** etwa: dann konnte ich es ja auch machen, ebenso gut machen.
15 f. **la carte d'identité** (f.): Personalausweis.
17 **les sucreries** (f.): Süßigkeiten.
20 **le filet:** (Einkaufs-)Netz.

Au bout de la rue, sous le porche, il y avait une nouvelle. Elle était ronde, belle comme un dessin. Je lui ai montré mon argent. Elle a souri.

– Tu as seize ans, toi?

5 – Ben ouais, depuis ce matin.

On est montés. J'y croyais à peine, elle avait vingt-deux ans, c'était une vieille et elle était toute pour moi. Elle m'a expliqué comment on se lavait, puis comment on devait faire l'amour …

10 Évidemment, je savais déjà mais je la laissais dire, pour qu'elle se sente plus à l'aise, et puis j'aimais bien sa voix, un peu boudeuse, un peu chagrinée. Tout le long, j'ai failli m'évanouir. À la fin, elle m'a caressé les cheveux, gentiment, et elle a

15 dit:

– Il faudra revenir, et me faire un petit cadeau.

Ça a presque gâché ma joie: j'avais oublié le petit cadeau. Ça y est, j'étais un homme, j'avais été baptisé entre les cuisses d'une femme, je tenais à

20 peine sur mes pieds tant mes jambes tremblaient

---

1 **le porche:** Vorbau, Toreingang.
5 **ben ouais** (fam.): *eh bien, oui.*
11 **se sentir à l'aise** (f.): sich wohlfühlen.
12 **boudeur, se:** schmollend, trotzig.
12f. **chagriné, e:** bekümmert.
13 **tout le long:** die ganze Zeit.
 s'évanouir: in Ohnmacht fallen.
17 **gâcher qc:** etwas kaputtmachen, zerstören, vermasseln.
19f. **tenir à peine sur ses pieds:** kaum noch (aufrecht) stehen können.

encore et les ennuis commençaient: j'avais oublié
le fameux petit cadeau.

Je suis rentré en courant à l'appartement, je me
suis rué dans ma chambre, j'ai regardé autour de
5 moi ce que je pouvais offrir de plus précieux, puis
j'ai recouru dare-dare rue de Paradis. La fille était
toujours sous le porche. Je lui ai donné mon ours
en peluche.

C'est à peu près au même moment que j'ai connu
10 monsieur Ibrahim.

Monsieur Ibrahim avait toujours été vieux. Unanimement, de mémoire de rue Bleue et de rue du
Faubourg-Poissonnière, on avait toujours vu monsieur Ibrahim dans son épicerie, de huit heures du
15 matin au milieu de la nuit, arc-bouté entre sa caisse
et les produits d'entretien, une jambe dans l'allée, l'autre sous les boîtes d'allumettes, une blouse
grise sur une chemise blanche, des dents en ivoire
sous une moustache sèche, et des yeux en pistache,

---

3 f. **se ruer:** eilen, sich stürzen.
 6 **dare-dare** (fam.): schnell, schnell; husch, husch; schnurstracks.
 7 f. **un ours en peluche** (f.): Plüschbär, Kuschelbär, Teddy.
11 f. **unanimement** (adv.): einmütig, nach Meinung aller.
12 **de mémoire de …:** seit es … gab.
15 **arc-bouté, e:** abgestützt, fest verankert.
16 **le produit d'entretien** (m.): Putzmittel.
16 f. **une allée:** hier: Gang.
18 **une ivoire:** Elfenbein.
19 **en pistache:** pistaziengrün.

8

verts et marron, plus clairs que sa peau brune tachée par la sagesse.

Car monsieur Ibrahim, de l'avis général, passait pour un sage. Sans doute parce qu'il était depuis
5 au moins quarante ans l'Arabe d'une rue juive. Sans doute parce qu'il souriait beaucoup et parlait peu. Sans doute parce qu'il semblait échapper à l'agitation ordinaire des mortels, surtout des mortels parisiens, ne bougeant jamais, telle une
10 branche greffée sur son tabouret, ne rangeant jamais son étal devant qui que ce soit, et disparaissant on ne sait où entre minuit et huit heures du matin.

Tous les jours donc, je faisais les courses et les
15 repas. Je n'achetais que des boîtes de conserve. Si je les achetais tous les jours, ce n'était pas pour qu'elles soient fraîches, non, mais parce que mon père, il ne me laissait l'argent que pour une journée, et puis c'était plus facile à cuisiner!
20 Lorsque j'ai commencé à voler mon père pour le

---

1 **marron:** braun.
3 **de l'avis** (m.) **général:** nach allgemeiner Auffassung.
5 **juif, juive:** jüdisch.
8 **une agitation:** Geschäftigkeit, Hin und Her, Unruhe.
9 **tel, le un/une …:** wie ein(e) …
10 **greffer:** verpflanzen, aufpfropfen.
   le tabouret: Schemel, Hocker.
11 **un étal:** Ladentisch.
20 **voler qn:** jdn. bestehlen.

punir de m'avoir soupçonné, je me suis mis aussi à voler monsieur Ibrahim. J'avais un peu honte mais, pour lutter contre ma honte, je pensais très fort, au moment de payer:

5 *Après tout, c'est qu'un Arabe!*

Tous les jours, je fixais les yeux de monsieur Ibrahim et ça me donnait du courage.

Après tout, c'est qu'un Arabe!

– Je ne suis pas arabe, Momo, je viens du Crois-
10 sant d'Or.

J'ai ramassé mes commissions et suis sorti, grog-gy, dans la rue. Monsieur Ibrahim m'entendait penser! Donc, s'il m'entendait penser, il savait peut-être aussi que je l'escroquais?

15 Le lendemain, je ne dérobai aucune boîte mais je lui demandai:

– C'est quoi, le Croissant d'Or?

J'avoue que, toute la nuit, j'avais imaginé mon-sieur Ibrahim assis sur la pointe d'un croissant d'or
20 et volant dans un ciel étoilé.

---

1 **soupçonner qn:** jdn. verdächtigen, im Verdacht haben.
 se mettre à qc: anfangen etwas zu tun.
5 **c'est qu'un Arabe!** (fam., négation incomplète): *ce n'est qu'un Arabe:* das ist ja nur ein Araber!
6 **fixer les yeux de qn:** jdm. fest in die Augen blicken.
9 f. **le Croissant d'Or:** der Goldene Halbmond.
11 f. **groggy** (angl.): hier: total verblüfft, fix und fertig.
14 **escroquer qn:** jdn. beschwindeln, bestehlen, beklauen.
15 **dérober:** entwenden, stehlen.

– Cela désigne une région qui va de l'Anatolie jusqu'à la Perse, Momo.

Le lendemain, j'ajoutai en sortant mon porte-monnaie:

5 – Je ne m'appelle pas Momo, mais Moïse.

Le lendemain, c'est lui qui ajouta:

– Je sais que tu t'appelles Moïse, c'est bien pour cela que je t'appelle Momo, c'est moins impressionnant.

10 Le lendemain, en comptant mes centimes, je demandai:

– Qu'est-ce que ça peut vous faire à vous? Moïse, c'est juif, c'est pas arabe.

– Je ne suis pas arabe, Momo, je suis musulman.

15 – Alors pourquoi on dit que vous êtes l'Arabe de la rue, si vous êtes pas arabe?

– Arabe, Momo, ça veut dire «ouvert de huit heures du matin jusqu'à minuit et même le dimanche» dans l'épicerie.

20 Ainsi allait la conversation. Une phrase par jour. Nous avions le temps. Lui, parce qu'il était vieux, moi parce que j'étais jeune. Et, un jour sur deux, je volais une boîte de conserve.

Je crois que nous aurions mis un an ou deux à

---

1 **l'Anatolie** (f.): Anatolien (die Osttürkei, der asiatische Teil der Türkei).

8 f. **impressionnant, e:** eindrucksvoll, beeindruckend.

22 **un jour sur deux:** jeden zweiten Tag.

faire une conversation d'une heure si nous n'avions pas rencontré Brigitte Bardot.

Grande animation rue Bleue. La circulation est arrêtée. La rue bloquée. On tourne un film.

5 Tout ce qui a un sexe rue Bleue, rue Papillon et Faubourg-Poissonnière, est en alerte. Les femmes veulent vérifier si elle est aussi bien qu'on le dit; les hommes ne pensent plus, ils ont le discursif qui s'est coincé dans la fermeture de la braguette. Brigitte Bardot est là! Eh, la vraie Brigitte Bardot!

Moi, je me suis mis à la fenêtre. Je la regarde et elle me fait penser à la chatte des voisins du quatrième, une jolie petite chatte qui adore s'étirer au soleil sur le balcon, et qui semble ne vivre, ne respirer, ne cligner des yeux que pour provoquer l'admiration. En avisant mieux, je découvre aussi qu'elle ressemble vraiment aux putes de la rue de Paradis, sans réaliser qu'en fait, ce sont les putes de la rue

2 **Brigitte Bardot:** berühmte französische Schauspielerin und Sexsymbol der 50er und 60er Jahre (geb. 1934).
3 **une animation:** (aufgeregtes) Treiben, Getümmel.
6 **en alerte** (f.): in Aufruhr, in heller Aufregung.
8 f. **le discursif** (fam.): Logik, Hirn, Vernunft, ›Durchblick‹.
9 **se coincer:** sich verklemmen, eingeklemmt werden.
9 f. **la braguette:** Hosenladen.
14 **s'étirer:** sich recken, strecken, räkeln.
16 **cligner des yeux:** zwinkern, blinzeln.
17 **en avisant mieux:** bei genauerem Hinschauen, bei näherer Betrachtung.

de Paradis qui se déguisent en Brigitte Bardot pour attirer le client. Enfin, au comble de la stupeur, je m'aperçois que monsieur Ibrahim est sorti sur le pas de sa porte. Pour la première fois – depuis que j'existe, du moins – il a quitté son tabouret.

Après avoir observé le petit animal Bardot s'ébrouer devant les caméras, je songe à la belle blonde qui possède mon ours et je décide de descendre chez monsieur Ibrahim et de profiter de son inattention pour escamoter quelques boîtes de conserve. Catastrophe! Il est retourné derrière sa caisse. Ses yeux rigolent en contemplant la Bardot, par-dessus les savons et les pinces à linge. Je ne l'ai jamais vu comme ça.

– Vous êtes marié, monsieur Ibrahim?

– Oui, bien sûr que je suis marié.

Il n'est pas habitué à ce qu'on lui pose des questions.

À cet instant-là, j'aurais pu jurer que monsieur Ibrahim n'était pas aussi vieux que tout le monde le croyait.

---

1 **se déguiser en:** sich verkleiden als.
2 **au comble** (m.) **de qc:** auf dem Höhepunkt einer Sache.
 la stupeur: Verblüffung, großes Erstaunen.
4 **le pas de la porte:** Türschwelle.
7 **s'ébrouer:** sich schütteln; hier: sich räkeln, sich strecken.
10 **escamoter qc:** etwas stibitzen.
12 **rigoler** (fam.): lachen, sich amüsieren.
13 **la pince à linge** (m.): Wäscheklammer.

– Monsieur Ibrahim! Imaginez que vous êtes dans un bateau, avec votre femme et Brigitte Bardot. Votre bateau coule. Qu'est-ce que vous faites?

– Je parie que ma femme, elle sait nager.

5 J'ai jamais vu des yeux rigoler comme ça, ils rigolent à gorge déployée, ses yeux, ils font un boucan d'enfer.

Soudain, branle-bas de combat, monsieur Ibrahim se met au garde-à-vous: Brigitte Bardot entre 10 dans l'épicerie.

– Bonjour, monsieur, est-ce que vous auriez de l'eau?

– Bien sûr, mademoiselle.

Et là, l'inimaginable arrive: monsieur Ibrahim, il 15 va lui-même chercher une bouteille d'eau sur un rayon et il la lui apporte.

– Merci, monsieur. Combien je vous dois?

– Quarante francs, mademoiselle.

Elle en a un haut-le-corps, la Brigitte. Moi aussi.

---

3 **couler:** (Schiff) untergehen.
4 **parier:** wetten.
6 **à gorge déployée:** aus vollem Hals, lautstark, lauthals (*la gorge:* Kehle).
6f. **le boucan** (fam.) **d'enfer** (m.): Höllenlärm.
8 **branle-bas de combat** (milit.): Klarmachen zum Gefecht!
9 **se mettre au garde-à-vous** (milit.): Habachtstellung einnehmen.
14 **l'inimaginable** (m): das Unvorstellbare.
16 **le rayon:** hier: Fach(brett).
19 **avoir un haut-le-corps:** (vor Überraschung) zusammenzucken, aufschrecken.

14

Une bouteille d'eau ça valait deux balles, à l'époque, pas quarante.

– Je ne savais pas que l'eau était si rare, ici.

– Ce n'est pas l'eau qui est rare, mademoiselle,
5 ce sont les vraies stars.

Il a dit cela avec tant de charme, avec un sourire
tellement irrésistible que Brigitte Bardot, elle rou-
git légèrement, elle sort ses quarante francs et elle
s'en va.

10 Je n'en reviens pas.

– Quand même, vous avez un de ces culots,
monsieur Ibrahim.

– Eh, mon petit Momo, il faut bien que je me
rembourse toutes les boîtes que tu me chouraves.

15 C'est ce jour-là que nous sommes devenus amis.

C'est vrai que, à partir de là, j'aurais pu aller les
escamoter ailleurs, mes boîtes, mais monsieur Ibrahim, il m'a fait jurer:

– Momo, si tu dois continuer à voler, viens les
20 voler chez moi.

Et puis, dans les jours qui suivirent, monsieur

---

1 **deux balles** (f., fam.): 2 Francs.
1f. **à l'époque** (f.): zu der Zeit.
7 **irrésistible:** unwiderstehlich.
10 **je n'en reviens pas** (fam.): ich kann es kaum fassen.
11 **vous avez un de ces culots** (fam.): Sie haben vielleicht Nerven!
13f. **se rembourser qc:** sich schadlos halten für etwas, etwas wieder reinholen.
14 **chouraver qc à qn** (fam.): jdm. etwas mopsen, stibitzen.

Ibrahim me donna plein de trucs pour soutirer de l'argent à mon père sans qu'il s'en rende compte: lui servir du vieux pain de la veille ou de l'avant-veille passé dans le four; ajouter progressivement
5 de la chicorée dans le café; resservir les sachets de thé; allonger son beaujolais habituel avec du vin à trois francs et le couronnement, l'idée, la vraie, celle qui montrait que monsieur Ibrahim était expert dans l'art de faire chier le monde, remplacer
10 la terrine campagnarde par des pâtés pour chiens.

Grâce à l'intervention de monsieur Ibrahim, le monde des adultes s'était fissuré, il n'offrait pas le même mur uniforme contre lequel je me cognais, une main se tendait à travers une fente.

15 J'avais de nouveau économisé deux cents francs, j'allais pouvoir me reprouver que j'étais un homme.

---

1 f. **soutirer de l'argent à qn:** jdm. Geld entziehen, abknöpfen, aus der Tasche ziehen.

4 **passer dans le four:** hier: (Brot) aufbacken.

5 **la chicorée:** Zichorie (Wegwartenart; ihre getrockneten und gemahlenen Wurzeln dienen als Kaffee-Ersatz).

5 f. **le sachet de thé:** Teebeutel.

6 **allonger (le vin):** (Wein) strecken.

7 **le couronnement** (fig.): Krönung, Höhe, krönender Einfall.

9 **faire chier qn** (pop.): jdn. nerven, jdm. auf die Nerven fallen.

10 **campagnard, e:** hier: nach ländlicher Art, nach Bauernart.
   le pâté pour chiens: Dosenfutter für Hunde (auf Fleischbasis).

12 **se fissurer:** Risse bekommen.

13 **se cogner contre qc:** sich an etwas stoßen, gegen etwas stoßen.

14 **la fente:** Spalt, Schlitz.

16

Rue de Paradis, je marchais droit vers le porche
où se tenait la nouvelle propriétaire de mon ours.
Je lui apportai un coquillage qu'on m'avait offert,
un vrai coquillage, qui venait de la mer, de la vraie
5 mer.

La fille me fit un sourire.

À ce moment-là, surgirent de l'allée un homme
qui courait comme un rat, puis une pute qui le
poursuivait en criant:

10 – Au voleur! Mon sac! Au voleur!

Sans hésiter une seconde, j'ai tendu ma jambe
en avant. Le voleur s'est étalé quelques mètres
plus loin. J'ai bondi sur lui.

Le voleur m'a regardé, il a vu que je n'étais
15 qu'un môme, il a souri, prêt à me foutre une raclée, mais comme la fille a déboulé dans la rue en
hurlant toujours plus fort, il s'est ramassé sur ses
jambes et il a décampé. Heureusement, les cris de
la putain m'avaient servi de muscles.

---

3 **le coquillage:** Muschel(schale).
12 **s'étaler:** hinfallen, der Länge nach hinschlagen.
13 **bondir sur qn:** auf jdn. losstürzen, sich auf jdn. stürzen.
15 **le môme** (fam.): Kind.
15f. **foutre une raclée à qn** (fam.): jdm. eine Tracht Prügel ver-
    passen.
16 **débouler dans la rue:** auf die Straße hinausstürzen.
17 **hurler:** schreien, brüllen.
17f. **se ramasser sur ses jambes:** sich wieder aufrappeln.
18 **décamper** (fam.): sich aus dem Staub machen, sich verzie-
    hen.

Elle s'est approchée, chancelante sur ses hauts talons. Je lui ai tendu son sac, qu'elle a serré, ravie, contre sa poitrine opulente qui savait si bien gémir.

– Merci, mon petit. Qu'est-ce que je peux faire
5 pour toi? Tu veux que je t'offre une passe?

Elle était vieille. Elle avait bien trente ans. Mais, monsieur Ibrahim me l'avait toujours dit, il ne faut pas vexer une femme.

– O. K.

10 Et nous sommes montés. La propriétaire de mon ours avait l'air outrée que sa collègue m'ait volé à elle. Lorsque nous sommes passés devant elle, elle me glissa à l'oreille:

– Viens demain. Moi aussi, je te le ferai gratuit.
15 Je n'ai pas attendu le lendemain …

Monsieur Ibrahim et les putes me rendaient la vie avec mon père encore plus difficile. Je m'étais mis à faire un truc épouvantable et vertigineux:

---

1 **chancelant, e:** schwankend.
1 f. **les hauts talons (d'une chaussure):** Stöckelabsätze (eines Schuhs).
2 **ravi, e:** entzückt, überglücklich.
3 **opulent, e:** üppig.
  gémir: ächzen, stöhnen.
5 **offrir une passe à qn** (pop.): jdn. eine ›Nummer schieben‹ lassen.
8 **vexer qn:** jdn. verärgern.
11 **outré, e:** verärgert, verstimmt.
13 **glisser qc à l'oreille de qn** (fig.): jdm. etwas zuflüstern.
18 **épouvantable:** schrecklich, grässlich.
  vertigineux, se: Schwindel erregend.

des comparaisons. J'avais toujours froid lorsque j'étais auprès de mon père. Avec monsieur Ibrahim et les putes, il faisait plus chaud, plus clair.

Je regardais la haute et profonde bibliothèque
5 héréditaire, tous ces livres censés contenir la quintessence de l'esprit humain, l'inventaire des lois, la subtilité de la philosophie, je les regardais dans l'obscurité – Moïse, ferme les volets, la lumière bouffe les reliures – puis je regardais mon père lire
10 dans son fauteuil, isolé dans le rond du lampadaire qui se tenait, telle une conscience jaune, au-dessus de ses pages. Il était clos dans les murs de sa science, il ne faisait pas plus attention à moi qu'à un chien – d'ailleurs, il détestait les chiens –, il
15 n'était même pas tenté de me jeter un os de son savoir. Si je faisais un peu de bruit …

– Oh, pardon.

– Moïse, tais-toi. Je lis. Je travaille, moi …

Travailler, ça c'était le grand mot, la justification
20 absolue …

5 **héréditaire:** vererbt, Erb-.
   tous ces livres censés contenir …: all diese Bücher, die vermeintlich … enthielten.
6 **un inventaire:** hier: Gesamtheit, komplette Sammlung.
7 **la subtilité:** Feinsinnigkeit, Scharfsinn.
8 **les volets** (m.): Fensterläden.
9 **bouffer** (fam.): fressen; hier: zerstören, zersetzen.
   la reliure: (Buch-)Einband.
10 **le lampadaire:** Stehlampe.
12 **clos, e** (arch.): eingeschlossen, abgeschottet.

– Pardon, papa.

– Ah, heureusement que ton frère Popol n'était pas comme ça.

Popol, c'était l'autre nom de ma nullité. Mon
5 père me lançait toujours à la figure le souvenir de mon frère aîné, Popol, lorsque je faisais quelque chose de mal. «Popol, il était très assidu, à l'école. Popol, il aimait les maths, il ne salissait jamais la baignoire. Popol, il faisait pas pipi à côté des toilet-
10 tes. Popol, il aimait tant lire les livres qu'aimait papa.»

Au fond, ce n'était pas plus mal que ma mère soit partie avec Popol, peu de temps après ma nais-sance, parce que c'était déjà difficile de se battre
15 avec un souvenir mais alors vivre auprès d'une perfection vivante comme Popol, ça, ça aurait été au-dessus de mes forces.

– Papa, tu crois qu'il m'aurait aimé, Popol?

Mon père me dévisage, ou plutôt me déchiffre,
20 avec effarement.

– Quelle question!

Voici ma réponse: Quelle question!

2 **Popol** (fam.): Koseform von *Paul*.
4 **la nullité:** Nichtigkeit, Unzulänglichkeit.
7 **assidu, e:** fleißig, beflissen.
8 **les maths** (f., fam.): Mathe(matik).
19 **dévisager qn:** jdn. mustern, anstarren.
   déchiffrer qn: hier: jdn. zu durchschauen versuchen.
20 **un effarement:** Fassungslosigkeit, Bestürzung.

J'avais appris à regarder les gens avec les yeux de mon père. Avec méfiance, mépris … Parler avec l'épicier arabe, même s'il n'était pas arabe – puisque «arabe, ça veut dire ouvert la nuit et le diman-
5 che, dans l'épicerie» –, rendre service aux putes, c'étaient des choses que je rangeais dans un tiroir secret de mon esprit, cela ne faisait pas partie officiellement de ma vie.

– Pourquoi est-ce que tu ne souris jamais,
10 Momo? me demanda monsieur Ibrahim.

Ça, c'était un vrai coup de poing, cette question, un coup de vache, je n'étais pas préparé.

– Sourire, c'est un truc de gens riches, monsieur Ibrahim. J'ai pas les moyens.

15 Justement, pour m'emmerder, il se mit à sourire.

– Parce que tu crois que, moi, je suis riche?

– Vous avez tout le temps des billets dans la caisse. Je connais personne qui a autant de billets devant lui toute la journée.

20 – Mais les billets, ils me servent à payer la marchandise, et puis le local. Et à la fin du mois, il m'en reste très peu, tu sais.

---

2 **la méfiance:** Misstrauen, Argwohn.
  le mépris: Geringschätzung, Verachtung.
6 **le tiroir:** Schublade.
11 **le coup de poing** (m.): Faustschlag.
12 **le coup de vache** (f.; fam.): Hundsgemeinheit.
15 **emmerder qn** (pop.): jdn. ärgern, jdm. auf die Nerven gehen.
20f. **la marchandise:** Ware(n).

Et il souriait encore plus, comme pour me narguer.

– M'sieur Ibrahim, quand je dis que c'est un truc de gens riches, le sourire, je veux dire que c'est un truc pour les gens heureux.

– Eh bien, c'est là que tu te trompes. C'est sourire, qui rend heureux.

– Mon œil.

– Essaie.

– Mon œil, je dis.

– Tu es poli pourtant, Momo?

– Bien obligé, sinon je reçois des baffes.

– Poli, c'est bien. Aimable, c'est mieux. Essaie de sourire, tu verras.

Bon, après tout, demandé gentiment comme ça, par monsieur Ibrahim, qui me refile en douce une boîte de choucroute garnie qualité supérieure, ça s'essaie …

Le lendemain, je me comporte vraiment comme un malade qu'aurait été piqué pendant la nuit: je souris à tout le monde.

---

1 f. **narguer qn:** jdn. verhöhnen, foppen, necken.
8 **mon œil!** (fam.): denkste!, von wegen!, das machst du mir nicht weis!
12 **la baffe** (fam.): Klaps, Ohrfeige.
16 **refiler qc en douce à qn** (fam.): jdm. sachte etwas zustecken.
17 **la choucroute garnie:** Sauerkraut auf elsässische Art (mit Speck und Würsten).
20 **piquer qn:** hier: jdm. eine Spritze geben.

– Non, madame, j'm'excuse, je n'ai pas compris mon exercice de maths.

Vlan: sourire!

– J'ai pas pu le faire!

5 – Eh bien, Moïse, je vais te le réexpliquer.

Du jamais-vu. Pas d'engueulade, pas d'avertissement. Rien.

À la cantine …

– J'pourrais en avoir encore un peu, d'la crème
10 de marron?

Vlan: sourire!

– Oui, avec du fromage blanc …

Et je l'obtiens.

À la gym, je reconnais que j'ai oublié mes chaus-
15 sures de tennis.

Vlan: sourire!

– Mais elles étaient en train de sécher, m'sieur …

Le prof, il rit et me tapote l'épaule.

C'est l'ivresse. Plus rien ne me résiste. Monsieur

---

3 **vlan!:** peng!, zack!

6 **une engueulade** (fam.): Anpfiff, Anschiss.

6f. **un avertissement:** hier: Verwarnung, strenge Ermahnung, Verweis.

9f. **la crème de marron** (m.): (Ess-)Kastanienpüree.

12 **le fromage blanc:** Quark.

14 **à la gym** (fam.): beim Turnen.

14f. **les chaussures de tennis:** Turnschuhe.

18 **tapoter l'épaule** (f.) **à qn:** jdm. die Schulter tätscheln.

19 **c'est l'ivresse** (fig.): es ist wie ein Rausch, Taumel (*une ivresse:* Trunkenheit).

Ibrahim m'a donné l'arme absolue. Je mitraille le
monde entier avec mon sourire. On ne me traite
plus comme un cafard.

En rentrant du collège, je file rue de Paradis.
5 Je demande à la plus belle des putes, une grande
Noire qui m'a toujours refusé:

– Hé!

Vlan: sourire!

– On monte?

10 – Tu as seize ans?

– Bien sûr que j'ai seize ans, depuis le temps!

Vlan: sourire!

On monte.

Et après, je lui raconte en me rhabillant que je
15 suis journaliste, que je fais un grand livre sur les
prostituées …

Vlan: sourire!

… que j'ai besoin qu'elle me raconte un peu sa
vie, si elle veut bien.

20 – C'est bien vrai, ça, que tu es journaliste?

Vlan: sourire!

– Oui, enfin, étudiant en journalisme …

Elle me parle. Je regarde ses seins palpiter doucement lorsqu'elle s'anime. Je n'ose pas y croire.

---

1 **mitrailler qn:** jdn. beschießen, bombardieren.
3 **le cafard:** (Küchen-)Schabe; hier (fig.): Miesepeter.
4 **filer:** schnell laufen, flitzen.
23 **palpiter:** beben, zucken.
24 **s'animer:** lebendig werden.

Une femme me parle, à moi. Une femme. Sourire.
Elle parle. Sourire. Elle parle.

Le soir, lorsque mon père rentre, je l'aide à reti-
rer son manteau comme d'habitude et je me glisse
5 devant lui, dans la lumière, pour être sûr qu'il me
voit.

– Le repas est prêt.

Vlan: sourire!

Il me regarde avec étonnement.

10 Je continue à sourire. C'est fatigant, en fin de
journée, mais je tiens le coup.

– Toi, tu as fait une connerie.

Là, le sourire disparaît.

Mais je ne désespère pas.

15 Au dessert, je ressaie.

Vlan: sourire!

Il me dévisage avec malaise.

– Approche-toi, me dit-il.

Je sens que mon sourire est en train de gagner.

20 Hop, une nouvelle victime. Je m'approche. Peut-
être veut-il m'embrasser? Il m'a dit une fois que
Popol, lui, il aimait bien l'embrasser, que c'était un
garçon très câlin. Peut-être que Popol, il avait

---

11 **tenir le coup** (fig.): durchhalten.
12 **la connerie** (fam.): Dummheit, Blödsinn.
15 **ressayer qc:** etwas erneut, wieder versuchen.
17 **le malaise:** hier: Unbehagen, Missstimmung.
23 **câlin, e:** zärtlich, verschmust.

compris le truc du sourire dès sa naissance? Ou alors que ma mère avait eu le temps de lui apprendre, à Popol.

Je suis près de mon père, contre son épaule. Ses cils battent dans ses yeux. Moi je souris à me déchirer la bouche.

– Il va falloir te mettre un appareil. Je n'avais jamais remarqué que tu avais les dents en avant.

C'est ce soir-là que je pris l'habitude d'aller voir monsieur Ibrahim la nuit, une fois que mon père était couché.

– C'est de ma faute, si j'étais comme Popol, mon père m'aimerait plus facilement.

– Qu'est-ce que tu en sais? Popol, il est parti.

– Et alors?

– Peut-être qu'il ne supportait pas ton père.

– Vous croyez?

– Il est parti. C'est bien une preuve, ça.

Monsieur Ibrahim me donna sa monnaie jaune pour que j'en fasse des rouleaux. Ça me calmait un peu.

---

5 **le cil:** Wimper.

7 **un appareil:** hier: Zahnspange.

8 **avoir les dents en avant:** vorstehende, überstehende Zähne haben.

10 **une fois que …:** sobald …

19 **la monnaie jaune:** Kleingeld.

20 **le rouleau** (pl. *rouleaux*): hier: in Papier verpackte Münzgeldrolle.

26

– Vous l'avez connu, vous, Popol? Monsieur Ibrahim, vous l'avez connu, Popol? Qu'est-ce que vous en pensiez, vous, de Popol?

Il a donné un coup sec dans sa caisse, comme
5 pour éviter qu'elle parle.

– Momo, je vais te dire une chose: je te préfère cent fois, mille fois, à Popol.

– Ah bon?

J'étais assez content mais je ne voulais pas le
10 montrer. Je fermais les poings et je montrais un peu les dents. Faut défendre sa famille.

– Attention, je vous permets pas de dire du mal de mon frère. Qu'est-ce que vous aviez contre Popol?

– Il était très bien, Popol, très bien. Mais, tu
15 m'excuseras, je préfère Momo.

J'ai été bon prince: je l'ai excusé.

Une semaine plus tard, monsieur Ibrahim, il m'a envoyé voir un ami à lui, le dentiste de la rue Papillon. Décidément, il avait le bras long, monsieur
20 Ibrahim. Et le lendemain, il m'a dit:

– Momo, souris moins, ça suffira bien. Non, c'est une blague … Mon ami m'a assuré que tes dents, elles n'ont pas besoin d'appareil.

---

4 **sec, sèche:** hier (Schlag): kurz und hart.
16 **être bon prince** (fig.): großzügig sein.
19 **avoir le bras long** (fam.): großen Einfluss haben, weit reichende Verbindungen haben.
22 **la blague** (fam.): Spaß, Witz.

Il s'est penché vers moi, avec ses yeux qui rigolent.

– Imagine-toi, rue de Paradis, avec de la ferraille
dans la bouche: à laquelle tu pourrais encore faire
5 croire que tu as seize ans?

Là, il avait marqué un sacré but, monsieur Ibrahim. Du coup, c'est moi qui lui ai demandé des
pièces de monnaie, pour me remettre l'esprit en
place.

10 – Comment vous savez tout ça, monsieur Ibrahim?

– Moi, je ne sais rien. Je sais juste ce qu'il y a
dans mon Coran.

J'ai fait encore quelques rouleaux.

15 – Momo, c'est très bien d'aller chez des professionnelles. Les premières fois, il faut toujours aller
chez des professionnelles, des femmes qui connais-
sent bien le métier. Après, quand tu y mettras des
complications, des sentiments, tu pourras te con-
20 tenter d'amateurs.

Je me sentais mieux.

– Vous y allez, vous, parfois, rue de Paradis?

---

3 **la ferraille:** Schrott (gemeint ist hier die metallene Spange).
6 **marquer un sacré but:** einen tollen Treffer landen, voll ins
Ziel treffen (*sacré, e:* hier, fam.: verflucht, verdammt).
7 **du coup:** sofort, auf der Stelle.
8f. **se remettre l'esprit en place** (fig.): wieder klar denken können, sich wieder fassen.
15 f. **le professionnel / la professionnelle:** Fachmann, -frau, Profi.

– Le Paradis est ouvert à tous.

– Oh, vous charriez, monsieur Ibrahim, vous n'allez pas me dire que vous y allez encore, à votre âge!

– Pourquoi? C'est réservé aux mineurs?

5   Là, j'ai senti que j'avais dit une connerie.

– Momo, qu'est-ce que tu dirais de faire une promenade avec moi?

– Ah bon, vous marchez des fois, monsieur Ibrahim?

10   Et voilà, j'avais encore dit une connerie. Alors, j'ai ajouté un grand sourire.

– Non, je veux dire, je vous ai toujours vu sur ce tabouret.

N'empêche, j'étais vachement content.

15   Le lendemain, monsieur Ibrahim m'emmena à Paris, le Paris joli, celui des photos, des touristes. Nous avons marché le long de la Seine, qui n'est pas vraiment droite.

– Regarde, Momo, la Seine adore les ponts, c'est
20 comme une femme qui raffole des bracelets.

Puis on a marché dans les jardins des Champs-Élysées, entre les théâtres et le guignol. Puis rue

2 **charrier** (fam.): übertreiben, zu weit gehen, scherzen.
4 **le mineur / la mineure:** Minderjährige(r).
14 **n'empêche** (adv.): trotzdem.
   vachement (adv., fam.): mächtig, ›unheimlich‹, gewaltig.
20 **raffoler de qc:** von etwas schwärmen, in etwas vernarrt sein.
   le bracelet: Armband.
22 **le guignol:** Kasper; hier: Kasperltheater.

du Faubourg-Saint-Honoré, où il y avait plein de magasins qui portaient des noms de marque, Lanvin, Hermès, Saint Laurent, Cardin … ça faisait drôle, ces boutiques immenses et vides, à côté de
5 l'épicerie de monsieur Ibrahim, qui était pas plus grande qu'une salle de bains, mais qui n'avait pas un cheveu d'inoccupé, où on trouvait, empilés du sol au plafond, d'étagère en étagère, sur trois rangs et quatre profondeurs, tous les articles de
10 première, de deuxième … et même de troisième nécessité.

– C'est fou, monsieur Ibrahim, comme les vitrines de riches sont pauvres. Y a rien là-dedans.

– C'est ça, le luxe, Momo, rien dans la vitrine,
15 rien dans le magasin, tout dans le prix.

On a fini dans les jardins secrets du Palais-Royal où là, monsieur Ibrahim m'a payé un citron pressé et a retrouvé son immobilité légendaire sur un tabouret de bar, à sucer lentement une Suze
20 anis.

2f. **Lanvin, Hermès, Saint Laurent, Cardin:** im Faubourg-Saint-Honoré vertretene Luxusläden mit den Produkten der Couturiers und Juweliers dieses Namens.

6f. **ne pas avoir un cheveu d'inoccupé** (fam.): etwa: rappelvoll, randvoll sein.

7 **empiler:** aufstapeln.

16f. **le Palais-Royal:** an der Nordseite des Louvre gelegener ehemaliger Stadtpalast.

19 **Suze:** Markenname eines süßen Kräuterlikörs auf Anisbasis, Anisette.

– Ça doit être chouette d'habiter Paris.

– Mais tu habites Paris, Momo.

– Non, moi j'habite rue Bleue.

Je le regardais savourer sa Suze anis.

5 – Je croyais que les musulmans, ça ne buvait pas d'alcool.

– Oui, mais moi je suis soufi.

Bon, là, j'ai senti que je devenais indiscret, que monsieur Ibrahim ne voulait pas me parler de sa 10 maladie – après tout, c'était son droit; je me suis tu jusqu'à notre retour rue Bleue.

Le soir, j'ai ouvert le Larousse de mon père. Fallait vraiment que je sois inquiet pour monsieur Ibrahim, parce que, vraiment, j'ai toujours été 15 déçu par les dictionnaires.

«*Soufisme: courant mystique de l'islam, né au VIIIe siècle. Opposé au légalisme, il met l'accent sur la religion intérieure.*»

Voilà, une fois de plus! Les dictionnaires n'expli20 quent bien que les mots qu'on connaît déjà.

Enfin, le soufisme n'était pas une maladie, ce qui m'a déjà rassuré un peu, c'était une façon de penser – même s'il y a des façons de penser qui sont

---

1 **chouette** (fam.): toll, prima (*la chouette:* Eule).

4 **savourer qc:** etwas genüsslich kosten, genießen.

7 **être soufi:** Sufi, d.h. Anhänger des Sufismus (*soufisme*) sein, einer mystischen Frömmigkeit im Islam, die neben der Gesetzesreligion (*légalisme*) entstand, mit dem Ziel, die Kluft zwischen Mensch und Gott zu überwinden.

aussi des maladies, disait souvent monsieur Ibrahim. Après quoi, je me suis lancé dans un jeu de
piste, pour essayer de comprendre tous les mots de
la définition. De tout ça, il ressortait que monsieur
5 Ibrahim avec sa Suze anis croyait en Dieu à la façon musulmane, mais d'une façon qui frisait la
contrebande, car «opposé au légalisme» et ça, ça
m'a donné du fil à retordre ... parce que si le légalisme était bien le «souci de respecter minutieuse-
10 ment la loi», comme disaient les gens du dictionnaire ... ça voulait dire en gros des choses a priori
vexantes, à savoir que monsieur Ibrahim, il était
malhonnête, donc que mes fréquentations n'é-
taient pas fréquentables. Mais en même temps, si
15 respecter la loi, c'était faire avocat, comme mon
père, avoir ce teint gris, et tant de tristesse dans la
maison, je préférais être contre le légalisme avec
monsieur Ibrahim. Et puis les gens du dictionnaire

2f. **le jeu de piste:** hier: Suchspiel, Orientierungsspiel, Schnitzel-
jagd.

4 **ressortir de qc:** sich aus etwas ergeben, aus einer Sache her-
vorgehen.

6 **friser qc:** etwas streifen, ganz nah an etwas herankommen.

7 **la contrebande:** Schmuggel; hier: Schummelei.

8 **donner du fil à retordre à qn:** jdm. stark zu schaffen machen.

12 **vexant, e:** irritierend, beunruhigend.
à savoir: nämlich, und zwar.

13 **malhonnête:** unehrlich, unredlich.
les fréquentations (f.) **de qn:** jds. Umgang.

13f. **être fréquentable** (néol.): für den persönlichen Umgang ge-
eignet sein.

ajoutaient que le soufisme avait été créé par deux mecs anciens, al-Halladj et al-Ghazali, qu'avaient des noms à habiter dans des mansardes au fond de la cour – en tout cas rue Bleue –, et ils précisaient
5 que c'était une religion intérieure, et ça, c'est sûr qu'il était discret, monsieur Ibrahim, par rapport à tous les juifs de la rue, il était discret.

Pendant le repas, je n'ai pas pu m'empêcher d'interroger mon père, qui était en train d'avaler
10 un ragoût d'agneau, tendance Royal Canin.

– Papa, est-ce que tu crois en Dieu?

Il m'a regardé. Puis il a dit lentement:

– Tu deviens un homme, à ce que je vois.

Je ne voyais pas le rapport. Un instant même, je
15 me suis demandé si quelqu'un ne lui avait pas rapporté que j'allais voir les filles rue de Paradis. Mais il ajouta:

– Non, je ne suis jamais arrivé à croire en Dieu.

– Jamais arrivé? Pourquoi? Faut faire des ef-
20 forts?

---

2 **le mec** (fam.): Kerl, Typ.
   al-Halladj: Husain ibn Mansur al-Halladj (857–922), bedeutender islamischer Mystiker.
   al-Ghazali: Abu Hamid al-Ghazali (1059–1111), größter Theologe des Islam.
   qu'avaient (fam.): *qui avaient.*
9 **avaler qc:** etwas verschlingen, hinunterschlingen.
10 **le ragoût d'agneau** (m.): eine Art Lammgulasch.
   tendance Royal Canin: etwa: mit einem Stich zu Hundefutter, Marke »Chappi Royal«.

Il regarda la pénombre de l'appartement autour de lui.

– Pour croire que tout ça a un sens? Oui. Il faut faire de gros efforts.

5 – Mais papa, on est juifs, nous, enfin toi et moi.

– Oui.

– Et être juif, ça n'a aucun rapport avec Dieu?

– Pour moi ça n'en a plus. Être juif, c'est simplement avoir de la mémoire. Une mauvaise mé-

10 moire.

Et là, il avait vraiment la tête d'un type qui a besoin de plusieurs aspirines. Peut-être parce qu'il avait parlé, une fois n'est pas coutume. Il se leva et il alla se coucher directement.

15 Quelques jours après, il revint à la maison encore plus pâle que d'habitude. J'ai commencé à me sentir coupable. Je me suis dit qu'à force de lui faire bouffer de la merde, je lui avais peut-être détraqué la santé.

20 Il s'est assis et m'a fait signe qu'il voulait me dire quelque chose.

Mais il a bien mis dix minutes avant d'y arriver.

---

1 **la pénombre:** Halbdunkel.
13 **une fois n'est pas coutume** (f.): einmal ist keinmal.
17 **à force de …:** durch vieles …
18 **faire bouffer de la merde à qn** (fam.): hier: jdm. sauschlechtes Essen vorsetzen.
18f. **détraquer qc** (fam.): etwas ruinieren, verkorksen, kaputtmachen.

– Je suis viré, Moïse. On ne me veut plus dans le cabinet où je travaille.

Ça, franchement, moi, ça ne m'étonnait pas beaucoup qu'on n'ait pas envie de travailler avec
5 mon père – il devait forcément déprimer les criminels – mais, en même temps, je n'avais jamais imaginé qu'un avocat ça puisse cesser d'être avocat.

– Il va falloir que je recherche du travail. Ail-
10 leurs. Il va falloir se serrer la ceinture, mon petit.

Il est allé se coucher. Visiblement, ça ne l'intéressait pas de savoir ce que j'en pensais.

Je suis descendu voir monsieur Ibrahim qui souriait en mâchant des arachides.

15 – Comment vous faites, vous, pour être heureux, monsieur Ibrahim?

– Je sais ce qu'il y a dans mon Coran.

– Faudrait peut-être un jour que je vous le pique, votre Coran. Même si ça se fait pas, quand on
20 est juif.

– Bah, qu'est-ce que ça veut dire, pour toi, Momo, être juif?

1 **virer qn** (fam.): jdn. hinauswerfen, feuern.
2 **le cabinet** (jur.): Kanzlei.
5 **forcément** (adv.): zwangsläufig, bestimmt.
10 **se serrer la ceinture** (fig.): den Gürtel enger schnallen.
14 **mâcher:** kauen.
   une arachide: Erdnuss.
18f. **piquer qc à qn** (fam.): jdm. etwas stibitzen, klauen.

– Ben j'en sais rien. Pour mon père, c'est être déprimé toute la journée. Pour moi … c'est juste un truc qui m'empêche d'être autre chose.

Monsieur Ibrahim me tendit une cacahuète.

5 – Tu n'as pas de bonnes chaussures, Momo. Demain, nous irons acheter des chaussures.

– Oui, mais …

– Un homme, ça passe sa vie dans seulement deux endroits: soit son lit, soit ses chaussures.

10 – J'ai pas l'argent, monsieur Ibrahim.

– Je te les offre. C'est mon cadeau. Momo, tu n'as qu'une seule paire de pieds, il faut en prendre soin. Si des chaussures te blessent, tu les changes. Les pieds, tu ne pourras pas en changer!

15 Le lendemain, en rentrant du lycée, je trouvai un mot sur le sol, dans le hall sans lumière de notre entrée. Je ne sais pas pourquoi, mais à la vue de l'écriture de mon père, mon cœur se mit immédiatement à battre dans tous les sens.

20 *Moïse,*
    Excuse-moi, je suis parti. Je n'ai rien en moi pour faire un père. Popo…

---

4 **une cacahuète:** Erdnuss.
9 **soit …, soit …:** entweder … oder …
16 **le mot:** hier: Notiz, Zettel.

Et là, c'était barré. Il avait sans doute encore voulu me balancer une phrase sur Popol. Du genre: «avec Popol, j'y serais arrivé, mais pas avec toi» ou bien «Popol, lui, il me donnait la force et l'éner-
5 gie d'être un père, mais pas toi», bref, une saloperie qu'il avait eu honte d'écrire. Enfin je percevais bien l'intention, merci.

Peut-être nous reverrons-nous, un jour, plus tard, lorsque tu seras adulte. Quand j'aurai moins honte,
10 *et que tu m'auras pardonné. Adieu.*

C'est ça, adieu!

P.-S. J'ai laissé sur la table tout l'argent qui me restait. Voici la liste des personnes que tu dois informer de mon départ. Elles prendront soin de toi.

15 Suivait une liste de quatre noms que je ne connaissais pas.
Ma décision était prise. Il fallait faire semblant.
Il était hors de question que j'admette avoir été abandonné. Abandonné deux fois, une fois à la

---

1 **barrer:** ausstreichen, durchstreichen.
2 **balancer:** hier (fam.): (an den Kopf) werfen.
5 f. **la saloperie** (fam.): Gemeinheit, Sauerei.
6 **percevoir:** hier: erahnen, begreifen.
17 **faire semblant:** so tun als ob.
18 **admettre:** zugeben.

naissance par ma mère; une autre fois à l'adolescence, par mon père. Si cela se savait, plus personne ne me donnerait ma chance. Qu'avais-je de si terrible? Mais qu'avais-je donc qui rendait
5 l'amour impossible? Ma décision fut irrévocable: je simulerai la présence de mon père. Je ferai croire qu'il vit là, qu'il mange là, qu'il partage toujours avec moi ses longues soirées d'ennui.

D'ailleurs, j'attendis pas une seconde: je descen-
10 dis à l'épicerie.

– Monsieur Ibrahim, mon père a du mal à digérer. Qu'est-ce que je lui donne?

– Du Fernet Branca, Momo. Tiens, j'en ai une mignonnette.

15 – Merci, je remonte tout de suite lui faire avaler.

Avec l'argent qu'il m'avait laissé, je pouvais tenir un mois. J'appris à imiter sa signature pour remplir les courriers nécessaires, pour répondre au lycée. Je continuais à cuisiner pour deux, tous les soirs je
20 mettais son couvert en face de moi; simplement, à la fin du repas, je faisais passer sa part dans l'évier.

2 **se savoir:** bekannt werden, herauskommen.
5 **irrévocable:** unwiderruflich.
8 **un ennui:** Langeweile, Überdruss, Trübsinn.
11 f. **digérer:** verdauen.
13 **le Fernet Branca:** italienischer Kräuterschnaps (Markenname).
14 **une mignonnette:** hier: kleines (Schnaps-)Fläschen, Miniflasche.
21 **un évier:** Spülbecken, Ausguss.

38

Quelques nuits par semaine, pour les voisins d'en face, je me mettais dans son fauteuil, avec son pull, ses chaussures, de la farine dans les cheveux et je tentais de lire un beau Coran tout neuf que
5 m'avait offert monsieur Ibrahim, parce que je l'en avais supplié.

Au lycée, je me dis que je n'avais pas une seconde à perdre: il fallait que je tombe amoureux. On n'avait pas vraiment le choix, vu que l'établis-
10 sement n'était pas mixte; on était tous amoureux de la fille du concierge, Myriam, qui, malgré ses treize ans, avait très vite compris qu'elle régnait sur trois cents pubères assoiffés. Je me mis à lui faire la cour avec une ardeur de noyé.

15 Vlan: sourire!

Je devais me prouver qu'on pouvait m'aimer, je devais le faire savoir au monde entier avant qu'il ne découvre que même mes parents, les seules personnes obligées de me supporter, avaient préféré fuir.
20 Je racontais à monsieur Ibrahim ma conquête de

---

6 **supplier qn de qc:** jdn. um etwas anflehen, anbetteln.
9f. **un établissement:** (schulische) Anstalt, Einrichtung.
10 **mixte:** nicht nach Geschlechtern getrennt, für Jungen und Mädchen.
13 **le/la pubère:** Pubertierende(r).
   assoiffé, e: durstig; hier: sexuell ausgehungert.
14 **une ardeur:** Leidenschaft, Glut, Inbrunst.
   le noyé / la noyée: hier: Ertrinkende(r).
20 **la conquête:** Eroberung.

Myriam. Il m'écoutait avec le petit sourire de celui qui sait la fin de l'histoire, mais je faisais semblant de ne pas le remarquer.

– Et comment va ton père? Je ne le vois plus, le
5 matin …

– Il a beaucoup de travail. Il est obligé de partir très tôt, avec son nouveau boulot …

– Ah bon? Et il n'est pas furieux que tu lises le Coran?

10 – Je me cache, de toute façon … et puis je n'y comprends pas grand-chose.

– Lorsqu'on veut apprendre quelque chose, on ne prend pas un livre. On parle avec quelqu'un. Je ne crois pas aux livres.

15 – Pourtant, monsieur Ibrahim, vous-même, vous me dites toujours que vous savez ce …

– Oui, que je sais ce qu'il y a dans mon Coran … Momo, j'ai envie de voir la mer. Si on allait en Normandie. Je t'emmène?

20 – Oh, c'est vrai?

– Si ton père est d'accord, naturellement.

– Il sera d'accord.

– Tu es sûr?

– Je vous dis qu'il sera d'accord!

25 Lorsque nous sommes arrivés dans le hall du Grand Hôtel de Cabourg, ça a été plus fort que

---

7 **le boulot** (fam.): Job.
26 **Cabourg:** Kleinstadt in der Normandie (Badeort).

moi: je me suis mis à pleurer. J'ai pleuré pendant deux heures, trois heures, je n'arrivais pas à reprendre mon souffle.

Monsieur Ibrahim me regardait pleurer. Il attendait patiemment que je parle. Enfin, j'ai fini par articuler:

– C'est trop beau, ici, monsieur Ibrahim, c'est beaucoup trop beau. Ce n'est pas pour moi. Je ne mérite pas ça.

Monsieur Ibrahim a souri.

– La beauté, Momo, elle est partout. Où que tu tournes les yeux. Ça, c'est dans mon Coran.

Après, nous avons marché le long de la mer.

– Tu sais, Momo, l'homme à qui Dieu n'a pas révélé la vie directement, ce n'est pas un livre qui la lui révélera.

Moi je lui parlais de Myriam, je lui en parlais d'autant plus que je voulais éviter de parler de mon père. Après m'avoir admis dans sa cour de prétendants, Myriam commençait à me rejeter comme un candidat non valable.

– Ça ne fait rien, disait monsieur Ibrahim. Ton amour pour elle, il est à toi. Il t'appartient. Même

---

2f. **reprendre son souffle:** wieder zu Atem kommen, sich wieder beruhigen.
11 **où que:** wo auch immer, wohin auch immer.
14f. **révéler qc à qn:** jdm. etwas offenbaren.
20 **le prétendant:** Verehrer, Bewerber, Anwärter.
21 **valable:** hier: brauchbar, akzeptabel.

si elle le refuse, elle ne peut rien y changer. Elle n'en profite pas, c'est tout. Ce que tu donnes, Momo, c'est à toi pour toujours; ce que tu gardes, c'est perdu à jamais!

5 – Mais vous, vous avez une femme?

– Oui.

– Et pourquoi vous n'êtes pas avec elle, ici?

Il a montré la mer du doigt.

– C'est vraiment une mer anglaise ici, vert et 10 gris, c'est pas des couleurs normales pour de l'eau, à croire qu'elle a pris l'accent.

– Vous ne m'avez pas répondu, monsieur Ibrahim, pour votre femme? Pour votre femme?

– Momo, pas de réponse, c'est une réponse.

15 Chaque matin, monsieur Ibrahim était le premier levé. Il s'approchait de la fenêtre, il reniflait la lumière et il faisait sa culture physique, lentement – tous les matins, toute sa vie, sa culture physique. Il était incroyablement souple et de mon 20 oreiller, en entrouvrant les yeux, je voyais encore le jeune homme long et nonchalant qu'il avait dû être, il y a très longtemps.

Ma grande surprise fut de découvrir, un jour,

---

11 **à croire que …:** man könnte meinen …
16 **renifler:** schnüffeln, schnuppern.
17 **faire sa culture physique:** (Morgen-)Gymnastik machen.
19 **souple:** gelenkig, geschmeidig.
20 **entrouvrir:** halb, ein wenig öffnen.
21 **nonchalant, e:** ungezwungen, locker, lässig.

dans la salle de bains, que monsieur Ibrahim était
circoncis.

– Vous aussi, monsieur Ibrahim?

– Les musulmans comme les juifs, Momo. C'est
5 le sacrifice d'Abraham: il tend son enfant à Dieu
en lui disant qu'il peut le prendre. Ce petit bout de
peau qui nous manque, c'est la marque d'Abraham. Pour la circoncision, le père doit tenir son fils,
le père offre sa propre douleur en souvenir du sa-
10 crifice d'Abraham.

Avec monsieur Ibrahim, je me rendais compte
que les juifs, les musulmans et même les chrétiens,
ils avaient eu plein de grands hommes en commun
avant de se taper sur la gueule. Ça ne me regardait
15 pas, mais ça me faisait du bien.

Après notre retour de Normandie, lorsque je
suis rentré dans l'appartement noir et vide, je ne
me sentais pas différent, non, je trouvais que le
monde pouvait être différent. Je me disais que
20 je pourrais ouvrir les fenêtres, que les murs pouvaient être plus clairs, je me disais que je n'étais
peut-être pas obligé de garder ces meubles qui
sentaient le passé, pas le beau passé, non, le vieux

---

2 **circoncis, e:** beschnitten.
5 **le sacrifice:** Opfer.
8 **la circoncision:** Beschneidung.
14 **se taper sur la gueule** (pop.): sich gegenseitig auf die Schnauze
   hauen, aufeinander einschlagen.
23 **sentir le passé:** nach Vergangenheit riechen.

passé, le rance, celui qui pue comme une vieille serpillière.

Je n'avais plus d'argent. J'ai commencé à vendre les livres, par lots, aux bouquinistes des quais de
5 Seine que monsieur Ibrahim m'avait fait découvrir lors de nos promenades. À chaque fois que je vendais un livre, je me sentais plus libre.

Cela faisait trois mois, maintenant, que mon père avait disparu. Je donnais toujours le change,
10 je cuisinais pour deux, et, curieusement, monsieur Ibrahim me posait de moins en moins de questions sur lui. Mes relations avec Myriam capotaient de plus en plus, mais elles me donnaient un très bon sujet de conversation, la nuit, avec monsieur Ibra-
15 him.

Certains soirs, j'avais des pincements au cœur. C'était parce que je pensais à Popol. Maintenant que mon père n'était plus là, j'aurais bien aimé le connaître, Popol. Sûr que je le supporterais mieux

---

1 **rance:** übel riechend, ranzig.
  puer: stinken.
2 **la serpillière:** Putzlappen, Scheuertuch.
4 **par lots** (m.): in (größeren) Posten, stapelweise.
  le bouquiniste (fam.): Antiquar (am Seineufer).
9 **donner le change (à qn)** (fam.): (jdm.) Sand in die Augen streuen; hier: ein Doppelspiel spielen.
12 **capoter** (fam.): kentern; hier: sich verschlechtern, in die Binsen gehen.
16 **j'avais des pincements au cœur** (fig.): mir war schwer ums Herz.

44

puisqu'on ne me l'enverrait plus à la figure comme l'antithèse de ma nullité. Je me couchais souvent en pensant qu'il y avait, quelque part dans le monde, un frère beau et parfait, qui m'était inconnu et que, peut-être, un jour je le rencontrerais.

Un matin, la police frappa à la porte. Ils criaient comme dans les films:

– Ouvrez! Police!

Je me suis dit: Ça y est, c'est fini, j'ai trop menti, ils vont m'arrêter.

J'ai mis une robe de chambre et j'ai déverrouillé tous les verrous. Ils avaient l'air beaucoup moins méchants que je l'imaginais, ils m'ont même demandé poliment s'ils pouvaient entrer. C'est vrai que moi je préférais aussi m'habiller avant de partir en prison.

Dans le salon, l'inspecteur m'a pris par la main et m'a dit gentiment:

– Mon garçon, nous avons une mauvaise nouvelle pour vous. Votre père est mort.

Je sais pas sur le coup ce qui m'a le plus surpris, la mort de mon père ou le vouvoiement du flic. En tout cas, j'en suis tombé assis dans le fauteuil.

– Il s'est jeté sous un train près de Marseille.

Ça aussi, c'était curieux: aller faire ça à Mar-

11 **déverrouiller:** entriegeln.
12 **le verrou:** Riegel.
22 **le vouvoiement:** Siezen.

seille! Des trains, il y en a partout. Il y en a autant, sinon plus, à Paris. Décidément, je ne comprendrais jamais mon père.

– Tout indique que votre père était désespéré et qu'il a mis fin volontairement à ses jours.

Un père qui se suicide, voilà qui n'allait pas m'aider à me sentir mieux. Finalement, je me demande si je ne préférais pas un père qui m'abandonne; je pouvais au moins supposer qu'il était rongé par le regret.

Les policiers semblaient comprendre mon silence. Ils regardaient la bibliothèque vide, l'appartement sinistre autour d'eux en se disant que, ouf, dans quelques minutes, ils l'auraient quitté.

– Qui faut-il prévenir, mon garçon?

Là, j'ai eu enfin une réaction appropriée. Je me levai et allai chercher la liste de quatre noms qu'il m'avait laissée en partant. L'inspecteur l'a mise dans sa poche.

---

4 **tout indique que …:** alles weist darauf hin, dass …
5 **mettre fin à ses jours** (fig.): seinem Leben ein Ende bereiten, aus dem Leben scheiden.
6 **se suicider:** sich umbringen.
9f. **être rongé, e par qc:** von etwas zerfressen werden (*ronger:* nagen).
10 **le regret:** Bedauern; hier: schlechtes Gewissen.
13 **sinistre:** düster.
    ouf!: uff!, Gott sei Dank!
15 **prévenir:** benachrichtigen.
16 **approprié, e:** angemessen, passend.

– Nous allons confier ces démarches à l'Assistance sociale.

Puis il s'est approché de moi, avec des yeux de chien battu, et là, j'ai senti qu'il allait me faire un
5 truc tordu.

– Maintenant, j'ai quelque chose de délicat à vous demander: il faudrait que vous reconnaissiez le corps.

Ça, ça a joué comme un signal d'alarme. Je me
10 suis mis à hurler comme si on avait appuyé sur le bouton. Les policiers s'agitaient autour de moi, ils cherchaient l'interrupteur. Seulement, pas de chance, l'interrupteur c'était moi et je ne pouvais plus m'arrêter.

15 Monsieur Ibrahim a été parfait. Il est monté en entendant mes cris, il a tout de suite compris la situation, il a dit qu'il irait, lui, à Marseille, pour reconnaître le corps. Les policiers, au début, se méfiaient parce qu'il avait vraiment l'air d'un Arabe,

---

1 **confier qc à qn:** jdm. etwas anvertrauen, jdn. mit etwas beauftragen.

   la démarche: Schritt, Maßnahme.

1f. **l'Assistance sociale:** Sozialamt, Jugendamt.

4f. **faire un truc tordu à qn** (fam.): jdm. übel mitspielen (*tordu, e:* verdreht).

6 **délicat, e:** hier: heikel, schwierig.

8 **le corps:** hier: Leiche.

11 **s'agiter:** hier: hin und her rennen.

12 **un interrupteur:** Unterbrecher, Schalter.

18f **se méfier:** misstrauisch sein.

mais je me suis remis à hurler et ils ont accepté ce que proposait monsieur Ibrahim.

Après l'enterrement, j'ai demandé à monsieur Ibrahim:

5 – Depuis combien de temps aviez-vous compris pour mon père, monsieur Ibrahim?

– Depuis Cabourg. Mais tu sais, Momo, tu ne dois pas en vouloir à ton père.

– Ah oui? Et comment? Un père qui me pourrit
10 la vie, qui m'abandonne et qui se suicide, c'est un sacré capital de confiance pour la vie. Et, en plus, il ne faut pas que je lui en veuille?

– Ton père, il n'avait pas d'exemple devant lui. Il a perdu ses parents très jeune parce qu'ils avaient
15 été ramassés par les nazis et qu'ils étaient morts dans les camps. Ton père ne se remettait pas d'avoir échappé à tout ça. Peut-être il se culpabilisait d'être en vie. Ce n'est pas pour rien qu'il a fini sous un train.

20 – Ah bon, pourquoi?

---

3 **un enterrement:** Beerdigung.
8 **en vouloir à qn (de qc):** jdm. etwas übel nehmen, jdm. wegen etwas böse sein.
9 f. **pourrir la vie à qn:** jdm. das Leben versauen, kaputtmachen, vermasseln.
15 **ramasser:** hier (fam.): abführen.
16 **le camp:** hier: *le camp de concentration:* Konzentrationslager.
16 f. **se remettre de qc:** sich von etwas erholen, über etwas hinwegkommen.
17 f. **se culpabiliser:** sich schuldig fühlen, sich Vorwürfe machen.

– Ses parents, ils avaient été emportés par un train pour aller mourir. Lui, il cherchait peut-être son train depuis toujours … S'il n'avait pas la force de vivre, ce n'était pas à cause de toi, Momo, mais à
5 cause de tout ce qui a été ou n'a pas été avant toi.

Puis monsieur Ibrahim m'a fourré des billets dans la poche.

– Tiens, va rue de Paradis. Les filles, elles se demandent où en est ton livre sur elles …

10 J'ai commencé à tout changer dans l'appartement de la rue Bleue. Monsieur Ibrahim me donnait des pots de peinture, des pinceaux. Il me donnait aussi des conseils pour rendre folle l'assistante sociale et gagner du temps.

15 Une après-midi, alors que j'avais ouvert toutes les fenêtres pour faire partir les odeurs d'acrylique, une femme entra dans l'appartement. Je ne sais pas pourquoi, mais à sa gêne, à ses hésitations, à sa façon de pas oser passer entre les escabeaux et
20 d'éviter les taches sur le sol, j'ai tout de suite compris qui c'était.

6f. **fourrer qc dans la poche:** etwas in die Tasche stopfen.

9 **où en est …:** bis wohin … gediehen ist.

12 **le pinceau** (pl. *pinceaux*): Pinsel.

13f. **un assistant social / une assistante sociale:** Sozialhelfer(in), Fürsorger(in).

16 **la (peinture) acrylique:** Acrylfarbe.

18 **la gêne:** Scheu, gehemmtes Auftreten.

19 **un escabeau** (pl. *escabeaux*): Schemel, Hocker.

J'ai fait celui qui était très absorbé par ses travaux.

Elle finit par se racler faiblement la gorge.

J'ai joué la surprise:

5   – Vous cherchez?

– Je cherche Moïse, a dit ma mère.

C'était curieux comme elle avait du mal à prononcer ce nom, comme s'il ne passait pas dans sa gorge.

Je me paie le luxe de me foutre de sa gueule.

10   – Vous êtes qui?

– Je suis sa mère.

La pauvre femme, j'ai de la peine pour elle. Elle est dans un état. Elle a dû sacrément se faire violence pour arriver jusqu'ici. Elle me regarde inten-

15   sément, essayant de déchiffrer mes traits. Elle a peur, très peur.

– Et toi qui es-tu?

– Moi?

J'ai envie de me marrer. On n'a pas idée de se met-

20   tre dans des états pareils, surtout treize ans après.

---

1 f. **être absorbé, e par ses travaux:** ganz in seine Arbeit versunken sein, voll in seiner Arbeit aufgehen.

3   **se racler la gorge:** sich räuspern.

9   **se foutre de la gueule de qn** (pop.): jdn. verarschen.

12 f. **elle est dans un état:** sie ist ganz aufgeregt.

13   **sacrément** (adv.; fam.): verdammt.

13 f. **se faire violence** (f.): sich zwingen, sich überwinden.

15   **déchiffrer les traits de qn:** jds. Miene deuten.

19   **se marrer** (fam.): sich schieflachen.

     on n'a pas idée: das ist (doch) unglaublich.

– Moi, on m'appelle Momo.

Son visage, il se fissure.

J'ajoute en rigolant:

– C'est un diminutif pour Mohammed.

5   Elle devient plus pâle que ma peinture des plinthes.

– Ah bon? Tu n'es pas Moïse?

– Ah non, faut pas confondre, madame. Moi, c'est Mohammed.

10   Elle ravale sa salive. Au fond, elle n'est pas mécontente.

– Mais il n'y a pas un garçon, ici, qui s'appelle Moïse?

J'ai envie de répondre: Je ne sais pas, c'est vous
15 qui êtes sa mère, vous devriez savoir. Mais au dernier moment, je me retiens, parce que la pauvre femme n'a pas l'air de bien tenir sur ses jambes. À la place, je lui fais un joli petit mensonge plus confortable.

20   – Moïse, il est parti, madame. Il en avait marre d'être ici. Il n'a pas de bons souvenirs.

– Ah bon?

Tiens, je me demande si elle me croit. Elle ne

---

4 **le diminutif:** Verkleinerungsform; hier: Spitzname, Kosename.

5f. **la plinthe:** Fußleiste, Scheuerleiste.

10 **ravaler sa salive:** seinen Speichel wieder hinunterschlucken.

20f. **en avoir marre de qc** (fam.): etwas satt haben, von etwas genug haben.

semble pas convaincue. Elle n'est peut-être pas si conne, finalement.

– Et quand reviendra-t-il?

– Je ne sais pas. Lorsqu'il est parti, il a dit qu'il voulait retrouver son frère.

– Son frère?

– Oui, il a un frère, Moïse.

– Ah bon?

Elle a l'air complètement déconcertée.

– Oui, son frère Popol.

– Popol?

– Oui, madame, Popol, son frère aîné!

Je me demande si elle n'est pas en train de me prendre pour un demeuré. Ou alors elle croit vraiment que je suis Mohammed?

– Mais je n'ai jamais eu d'enfant avant Moïse. Je n'ai jamais eu de Popol, moi.

Là, c'est moi qui commence à me sentir mal.

Elle le remarque, elle vacille tellement qu'elle va se mettre à l'abri sur un fauteuil et moi je fais pareil de mon côté.

Nous nous regardons en silence, le nez étouffé

---

2 **con, ne** (pop.): dämlich, blöd.
9 **déconcerté, e:** verwirrt, fassungslos.
14 **le demeuré / la demeurée:** (geistig) Zurückgebliebene(r); Schwachsinnige(r), Depp.
19 **vaciller:** schwanken.
20 **se mettre à l'abri** (m.): hier: sich zurückziehen, Zuflucht suchen.
22 **étouffé, e:** hier: voll (von) (*étouffer:* ersticken).

par l'odeur acide de l'acrylique. Elle m'étudie, il n'y a pas un battement de mes cils qui lui échappe.

– Dis-moi, Momo …

– Mohammed.

5 – Dis-moi, Mohammed, tu vas le revoir, Moïse?

– Ça se peut.

J'ai dit ça sur un ton détaché, j'en reviens pas moi-même d'avoir un ton si détaché. Elle me scrute le fond des yeux. Elle peut m'éplucher tant 10 qu'elle veut, elle ne m'arrachera rien, je suis sûr de moi.

– Si un jour tu revois Moïse, dis-lui que j'étais très jeune lorsque j'ai épousé son père, que je ne l'ai épousé que pour partir de chez moi. Je n'ai ja- 15 mais aimé le père de Moïse. Mais j'étais prête à ai- mer Moïse. Seulement j'ai connu un autre homme. Ton père …

– Pardon?

– Je veux dire son père, à Moïse, il m'a dit: Pars 20 et laisse-moi Moïse, sinon … Je suis partie. J'ai

---

1 **acide:** scharf, stechend.
7 **sur un ton détaché:** emotionslos, unbeteiligt.
 ne pas en revenir de qc: etwas nicht fassen können, etwas nicht für möglich halten.
9 **scruter:** prüfend anschauen, genau ansehen.
 éplucher (fig.): unter die Lupe nehmen, löchern (*éplucher des légumes:* Gemüse putzen).
10 **arracher qc à qn:** etwas aus jdm. herausbekommen, jdm. etwas entreißen.

préféré refaire ma vie, une vie où il y a du bonheur.

– C'est sûr que c'est mieux.

Elle baisse les yeux.

5 Elle s'approche de moi. Je sens qu'elle voudrait
m'embrasser. Je fais celui qui ne comprend pas.

Elle me demande d'une voix suppliante:

– Tu lui diras, à Moïse?

– Ça se peut.

10 Le soir même, je suis allé retrouver monsieur
Ibrahim et je lui ai dit en rigolant:

– Alors, c'est quand que vous m'adoptez, monsieur Ibrahim?

Et il a répondu, aussi en rigolant:

15 – Mais dès demain si tu veux, mon petit Momo!

Il a fallu se battre. Le monde officiel, celui des tam-
pons, des autorisations, des fonctionnaires agressifs
lorsqu'on les réveille, personne ne voulait de nous.
Mais rien ne décourageait monsieur Ibrahim.

20 – Le non, on l'a déjà dans notre poche, Momo.
Le oui, il nous reste à l'obtenir.

Ma mère, avec l'aide de l'assistante sociale, avait
fini par accepter la démarche de monsieur Ibrahim.

---

7 **suppliant, e:** flehend.

16f. **le tampon:** Stempel.

17 **le/la fonctionnaire:** Beamter, Beamtin.

– Et votre femme à vous, monsieur Ibrahim, elle veut bien?

– Ma femme, elle est retournée au pays il y a bien longtemps. Je fais ce que je veux. Mais si tu as
5 envie, nous irons la voir, cet été.

Le jour où on l'a eu, le papier, le fameux papier qui déclarait que j'étais désormais le fils de celui que j'avais choisi, monsieur Ibrahim décida que nous devions acheter une voiture pour fêter ça.

10 – On fera des voyages, Momo. Et cet été, on ira ensemble dans le Croissant d'Or, je te montrerai la mer, la mer unique, la mer d'où je viens.

– On pourrait pas y aller en tapis volant, plutôt?

– Prends un catalogue et choisis une voiture.

15 – Bien, papa.

C'est dingue comme, avec les mêmes mots, on peut avoir des sentiments différents. Quand je disais «papa» à monsieur Ibrahim, j'avais le cœur qui riait, je me regonflais, l'avenir scintillait.

20 Nous sommes allés chez le garagiste.

– Je veux acheter ce modèle. C'est mon fils qui l'a choisi.

Quant à monsieur Ibrahim, il était pire que moi, question vocabulaire. Il mettait «mon fils» dans

16 **dingue** (fam.): irre, wahnsinnig.
19 **se regonfler** (fam.): neuen Mut fassen, neue Energie bekommen.
   scintiller: funkeln.
20 **le garagiste:** Autohändler.

toutes les phrases, comme s'il venait d'inventer la paternité.

Le vendeur commença à nous vanter les caractéristiques de l'engin.

5 – Pas la peine de me faire l'article, je vous dis que je veux l'acheter.

– Avez-vous le permis, monsieur?

– Bien sûr.

Et là monsieur Ibrahim sortit de son portefeuille
10 en maroquin un document qui devait dater, au minimum, de l'époque égyptienne. Le vendeur examina le papyrus avec effroi, d'abord parce que la plupart des lettres étaient effacées, ensuite parce qu'il était dans une langue qu'il ne connaissait pas.

15 – C'est un permis de conduire, ça?

– Ça se voit, non?

– Bien. Alors nous vous proposons de payer en plusieurs mensualités. Par exemple, sur une durée de trois ans, vous devriez …

20 – Quand je vous dis que je veux acheter une voiture, c'est que je peux. Je paie comptant.

---

2 **la paternité:** Vaterschaft.
3 **vanter qc:** etwas preisen, rühmen.
4 **un engin:** Gerät, Maschine; hier: Vehikel.
5 **faire l'article:** hier: langatmig daherreden, weit ausholen.
10 **le maroquin:** (marokkanisches) Leder.
12 **le papyrus:** Papier (aus der Papyruspflanze).
   un effroi: Schrecken, Entsetzen.
18 **la mensualité:** Monatsrate.
21 **comptant:** bar.

Il était très vexé, monsieur Ibrahim. Décidément, ce vendeur commettait gaffe sur gaffe.

– Alors faites-nous un chèque de …

– Ah mais ça suffit! Je vous dis que je paie
5 comptant. Avec de l'argent. Du vrai argent.

Et il posa des liasses de billets sur la table, de belles liasses de vieux billets rangées dans des sacs plastique.

Le vendeur, il suffoquait.

10 – Mais … mais … personne ne paie en liquide … ce … ce n'est pas possible …

– Eh bien quoi, ce n'est pas de l'argent, ça? Moi je les ai bien acceptés dans ma caisse, alors pourquoi pas vous? Momo, est-ce que nous sommes en-
15 trés dans une maison sérieuse?

– Bien. Faisons comme cela. Nous vous la mettrons à disposition dans quinze jours.

– Quinze jours? Mais ce n'est pas possible: je serai mort dans quinze jours!

20 Deux jours après, on nous livrait la voiture, devant l'épicerie … il était fort monsieur Ibrahim.

Lorsqu'il monta dedans, monsieur Ibrahim se mit à toucher délicatement toutes les commandes

---

2 **faire gaffe** (f.) **sur gaffe** (fam.): einen Bock nach dem anderen schießen, kein Fettnäpfchen auslassen.
6 **la liasse:** Stapel, Bündel.
9 **suffoquer:** ersticken; hier: nach Luft ringen, sprachlos sein.
10 **payer en liquide** (m.): bar zahlen.
23 **délicatement** (adv.): behutsam, vorsichtig.
   la commande: Schalthebel, Bedienungsknopf.

avec ses longs doigts fins; puis il s'essuya le front, il
était verdâtre.

– Je ne sais plus, Momo.

– Mais vous avez appris?

5 – Oui, il y a longtemps, avec mon ami Abdullah.
Mais …

– Mais?

– Mais les voitures n'étaient pas comme ça.

Il avait vraiment du mal à trouver son air, mon-
10 sieur Ibrahim.

– Dites, monsieur Ibrahim, les voitures dans les-
quelles vous avez appris, elles étaient pas tirées
par des chevaux?

– Non, mon petit Momo, par des ânes. Des ânes.

15 – Et votre permis de conduire, l'autre jour,
qu'est-ce que c'était?

– Mm … une vieille lettre de mon ami Abdullah
qui me racontait comment s'était passée la récolte.

– Ben, on n'est pas dans la merde!

20 – Tu l'as dit, Momo.

– Et y a pas un truc, dans votre Coran, comme
d'habitude, pour nous donner une solution?

– Penses-tu, Momo, le Coran, ce n'est pas un

---

2 **verdâtre:** grünlich; hier: fahl, aschgrau.
15 **l'autre jour:** neulich.
18 **la récolte:** Ernte.
19 **on n'est pas dans la merde!** (par contresens; pop.): jetzt sitzen
   wir ganz schön in der Scheiße!

manuel de mécanique! C'est utile pour les choses de l'esprit, pas pour la ferraille. Et puis dans le Coran, ils voyagent en chameau!

– Vous énervez pas, monsieur Ibrahim.

5 Finalement, monsieur Ibrahim décida que nous prendrions des leçons de conduite ensemble. Comme je n'avais pas l'âge, c'est lui, officiellement, qui apprenait, tandis que moi, je me tenais sur la banquette arrière sans perdre une miette des
10 instructions du moniteur. Sitôt le cours fini, nous sortions notre voiture et je m'installais au volant. Nous roulions dans le Paris nocturne, pour éviter la circulation.

Je me débrouillais de mieux en mieux.

15 Enfin l'été est arrivé et nous avons pris la route.

Des milliers de kilomètres. Nous traversions toute l'Europe par le sud. Fenêtres ouvertes. Nous allions au Moyen-Orient. C'était incroyable de découvrir comme l'univers devenait intéressant sitôt

---

3 **le chameau** (pl. *chameaux*): Kamel.
9 **la banquette arrière:** Rücksitz.
  une miette: hier (fig.): Jota, winziges Bisschen (*la miette:* Krume).
10 **le moniteur / la monitrice:** Fahrlehrer(in).
  sitôt: sobald.
11 **le volant:** Lenkrad, Steuer.
12 **nocturne:** nächtlich.
14 **se débrouiller:** zurechtkommen, zu Rande kommen.
18 **le Moyen-Orient:** der Mittlere Osten.

qu'on voyageait avec monsieur Ibrahim. Comme
j'étais crispé sur mon volant et que je me concen-
trais sur la route, il me décrivait les paysages, le
ciel, les nuages, les villages, les habitants. Le babil
5 de monsieur Ibrahim, cette voix fragile comme du
papier à cigarettes, ce piment d'accent, ces images,
ces exclamations, ces étonnements auxquels succé-
daient les plus diaboliques roublardises, c'est cela,
pour moi, le chemin qui mène de Paris à Istanbul.
10 L'Europe, je ne l'ai pas vue, je l'ai entendue.

– Ouh, là, Momo, on est chez les riches: regarde,
il y a des poubelles.

– Eh bien quoi, les poubelles?

– Lorsque tu veux savoir si tu es dans un endroit
15 riche ou pauvre, tu regardes les poubelles. Si tu
vois ni ordures ni poubelles, c'est très riche. Si tu
vois des poubelles et pas d'ordures, c'est riche. Si
tu vois des ordures à côté des poubelles, c'est ni
riche ni pauvre: c'est touristique. Si tu vois les or-
20 dures sans les poubelles, c'est pauvre. Et si les gens
habitent dans les ordures, c'est très très pauvre. Ici
c'est riche.

– Ben oui, c'est la Suisse!

---

2 **crispé, e:** verkrampft, verspannt.
4 **le babil:** Geplapper.
6 **le piment:** (Chili-)Pfeffer; hier: Würze, Beimischung.
7 f. **succéder:** folgen.
8 **diabolique:** teuflisch.
  la roublardise (fam.): Gerissenheit; hier: schlauer Spruch.

60

– Ah non, pas l'autoroute, Momo, pas l'autoroute. Les autoroutes, ça dit: passez, y a rien à voir.
C'est pour les imbéciles qui veulent aller le plus
vite d'un point à un autre. Nous, on fait pas de la
5 géométrie, on voyage. Trouve-moi de jolis petits
chemins qui montrent bien tout ce qu'il y a à voir.

– On voit que c'est pas vous qui conduisez,
m'sieur Ibrahim.

– Écoute, Momo, si tu ne veux rien voir, tu
10 prends l'avion, comme tout le monde.

– C'est pauvre, ici, m'sieur Ibrahim?

– Oui, c'est l'Albanie.

– Et là?

– Arrête l'auto. Tu sens? Ça sent le bonheur,
15 c'est la Grèce. Les gens sont immobiles, ils pren-
nent le temps de nous regarder passer, ils respi-
rent. Tu vois, Momo, moi, toute ma vie, j'aurai
beaucoup travaillé, mais j'aurai travaillé lentement, en prenant bien mon temps, je ne voulais
20 pas faire du chiffre, ou voir défiler les clients, non.
La lenteur, c'est ça, le secret du bonheur. Qu'est-
ce que tu veux faire plus tard?

– Je sais pas, monsieur Ibrahim. Si, je ferai de
l'import-export.

---

19 **prendre son temps:** sich Zeit lassen.
20 **faire du chiffre:** Umsatz machen.
   défiler: vorbeimarschieren; hier: sich die Tür in die Hand
   geben.

– De l'import-export?

Là, j'avais marqué un point, j'avais trouvé le
mot magique. «Import-export», monsieur Ibrahim
en avait plein la bouche, c'était un mot sérieux et
5 en même temps aventurier, un mot qui renvoyait
aux voyages, aux bateaux, aux colis, à de gros chif-
fres d'affaires, un mot aussi lourd que les syllabes
qu'il faisait rouler, «import-export»!

– Je vous présente mon fils, Momo, qui un jour
10 fera de l'import-export.

Nous avions plein de jeux. Il me faisait entrer
dans les monuments religieux avec un bandeau sur
les yeux pour que je devine la religion à l'odeur.

– Ici ça sent le cierge, c'est catholique.
15 – Oui, c'est Saint-Antoine.
– Là, ça sent l'encens, c'est orthodoxe.
– C'est vrai, c'est Sainte-Sophie.

2 **marquer un point:** einen Punkt erzielen, einen Treffer landen.
4 **avoir plein la bouche de qc** (fig.): immer wieder von etwas reden.
5 **aventurier, ière:** hier etwa: nach Abenteuern schmeckend.
6 **le colis:** (großes) Paket, Ballen.
6f. **le chiffre d'affaires** (f.): Umsatzzahlen.
7 **la syllabe:** Silbe.
12 **le bandeau:** (Augen-)Binde.
14 **le cierge:** Votivkerze aus Wachs.
15 **Saint-Antoine:** die größte katholische Kirche in Istanbul, 1913
fertig gestellt.
16 **un encens:** Weihrauch.
17 **Sainte-Sophie:** die unter Kaiser Justinian 532–537 in Konstanti-
nopel (heute Istanbul) erbaute Krönungskirche »Hagia Sophia«.

– Et là ça sent les pieds, c'est musulman. Non, vraiment là, ça pue trop fort …

– Quoi! Mais c'est la mosquée Bleue! Un endroit qui sent le corps ce n'est pas assez bien pour
5 toi? Parce que toi, tes pieds, ils ne sentent jamais? Un lieu de prière qui sent l'homme, qui est fait pour les hommes, avec des hommes dedans, ça te dégoûte? Tu as bien des idées de Paris, toi! Moi, ce parfum de chaussettes, ça me rassure. Je me dis
10 que je ne vaux pas mieux que mon voisin. Je me sens, je nous sens, donc je me sens déjà mieux!

À partir d'Istanbul, monsieur Ibrahim a moins parlé. Il était ému.

– Bientôt, nous rejoindrons la mer d'où je viens.
15 Chaque jour il voulait que nous roulions encore plus lentement. Il voulait savourer. Il avait peur, aussi.

– Où elle est, cette mer dont vous venez, monsieur Ibrahim? Montrez-moi sur la carte.
20 – Ah, ne m'embête pas avec tes cartes, Momo, on n'est pas au lycée, ici!

On s'est arrêtés dans un village de montagne.

– Je suis heureux, Momo. Tu es là et je sais ce

---

3 **la mosquée Bleue:** berühmte Moschee in Istanbul, die als einzige sechs Minarette aufweist.
8 **dégoûter qn:** jdn. anekeln.
14 **rejoindre la mer:** ans Meer kommen, gelangen.
20 **embêter qn** (fam.): jdn. nerven.

63

qu'il y a dans mon Coran. Maintenant, je veux t'emmener danser.

– Danser, monsieur Ibrahim?

– Il faut. Absolument. «Le cœur de l'homme est
5 comme un oiseau enfermé dans la cage du corps.» Quand tu danses, le cœur, il chante comme un oiseau qui aspire à se fondre en Dieu. Viens, allons au tekké.

– Au quoi?

10 – Drôle de dancing! j'ai dit en passant le seuil.

– Un tekké c'est pas un dancing, c'est un monastère. Momo, pose tes chaussures.

Et c'est là que, pour la première fois, j'ai vu des hommes tourner. Les derviches portaient de gran-
15 des robes pâles, lourdes, souples. Un tambour retentissait. Et les moines se transformaient alors en toupies.

– Tu vois, Momo! Ils tournent sur eux-mêmes, ils tournent autour de leur cœur qui est le lieu de la
20 présence de Dieu. C'est comme une prière.

7 **se fondre en:** verschmelzen, sich vereinigen mit.
10 **le dancing** (angl.): Tanzlokal.
11 f. **le monastère:** (Mönchs-)Kloster.
14 **le derviche:** Derwisch; Mitglied in einer Art Mönchsorden, der auf der Ideologie des Sufismus aufbaut.
15 f. **retentir:** ertönen, erklingen.
16 **le moine:** Mönch.
17 **la toupie:** Kreisel.

– Vous appelez ça une prière, vous?

– Mais oui, Momo. Ils perdent tous les repères terrestres, cette pesanteur qu'on appelle l'équilibre, ils deviennent des torches qui se consument
5 dans un grand feu. Essaie, Momo, essaie. Suis-moi.

Et monsieur Ibrahim et moi, on s'est mis à tourner.

Pendant les premiers tours, je me disais: *Je suis heureux avec monsieur Ibrahim.* Ensuite, je me
10 disais: *Je n'en veux plus à mon père d'être parti.* À la fin, je pensais même: *Après tout, ma mère n'avait pas vraiment le choix lorsqu'elle …*

– Alors, Momo, tu as senti de belles choses?

– Ouais, c'était incroyable. J'avais la haine qui se
15 vidangeait. Si les tambours ne s'étaient pas arrêtés, j'aurais peut-être traité le cas de ma mère. C'était vachement agréable de prier, m'sieur Ibrahim, même si j'aurais préféré prier en gardant mes baskets. Plus le corps devient lourd, plus l'esprit de-
20 vient léger.

2 **le repère:** Anhaltspunkt, Bezugspunkt.
3 **la pesanteur:** Schwere, Schwerkraft.
3 f. **un équilibre:** Gleichgewicht.
4 **la torche:** Fackel.
   se consumer: sich verzehren, verbrennen.
14 **la haine:** Hass.
14 f. **se vidanger:** auslaufen; hier: sich verflüchtigen.
16 **traiter le cas de qn:** hier: mit jdm. klarkommen.
18 f. **les baskets** (m.): Sportstiefel, Turnschuhe.

À partir de ce jour-là on s'arrêtait souvent pour danser dans des tekkés que connaissait monsieur Ibrahim. Lui parfois il ne tournait pas, il se contentait de prendre un thé en plissant les yeux mais, moi, je tournais comme un enragé. Non, en fait, je tournais pour devenir un peu moins enragé.

Le soir, sur les places des villages, j'essayais de parler un peu avec les filles. Je faisais un maximum d'efforts mais ça ne marchait pas très fort, alors que monsieur Ibrahim, lui qui ne faisait rien d'autre que boire sa Suze anis en souriant, avec son air doux et calme, eh bien, au bout d'une heure, il avait toujours plein de monde autour de lui.

– Tu bouges trop, Momo. Si tu veux avoir des amis, faut pas bouger.

– Monsieur Ibrahim, est-ce que vous trouvez que je suis beau?

– Tu es très beau, Momo.

– Non, c'est pas ce que je veux dire. Est-ce que vous croyez que je serai assez beau pour plaire aux filles … sans payer?

– Dans quelques années, ce seront elles qui paieront pour toi!

– Pourtant … pour le moment … le marché est calme …

---

4 **plisser les yeux:** die Augen zusammenkneifen.
5 **un enragé / une enragée:** Tollwütige(r); hier: Verrückte(r).

– Évidemment, Momo, tu as vu comme tu t'y prends? Tu les fixes en ayant l'air de dire: «Vous avez vu comme je suis beau.» Alors, forcément, elles rigolent. Il faut que tu les regardes en ayant l'air
5 de dire: «Je n'ai jamais vu plus belle que vous.» Pour un homme normal, je veux dire un homme comme toi et moi – pas Alain Delon ou Marlon Brando, non –, ta beauté, c'est celle que tu trouves à la femme.

Nous regardions le soleil se faufiler entre les
10 montagnes et le ciel qui devenait violet. Papa fixait l'étoile du soir.

– Une échelle a été mise devant nous pour nous évader, Momo. L'homme a d'abord été minéral, puis végétal, puis animal – ça, animal, il ne peut
15 pas l'oublier, il a souvent tendance à le redevenir –, puis il est devenu homme doué de connaissance, de raison, de foi. Tu imagines le chemin que tu as parcouru de la poussière jusqu'à aujourd'hui? Et plus tard, lorsque tu auras dépassé ta condition

1 f. **comme tu t'y prends:** wie du es anstellst, anfängst.
7 **Alain Delon:** 1935 geborener französischer Filmschauspieler.
Marlon Brando: 1924 geborener amerikanischer Filmschauspieler und Regisseur.
9 **se faufiler:** sich hindurchschlängeln, durchschlüpfen; hier: (Sonne) hindurchscheinen.
13 **s'évader:** fliehen.
minéral, e: mineralisch, Gesteins-.
14 **végétal, e:** pflanzlich.
19 **dépasser qc:** hier: sich über etwas hinausentwickeln, etwas überwinden.

d'homme, tu deviendras un ange. Tu en auras fini avec la terre. Quand tu danses, tu en as le pressentiment.

– Mouais. Moi, en tout cas, je ne me souviens de
5 rien. Vous vous rappelez, vous, monsieur Ibrahim, avoir été une plante?

– Tiens, qu'est-ce que tu crois que je fais lorsque je reste des heures sans bouger sur mon tabouret, dans l'épicerie?

10 Puis arriva le fameux jour où monsieur Ibrahim m'a annoncé qu'on allait arriver à sa mer de naissance et rencontrer son ami Abdullah. Il était tout bouleversé, comme un jeune homme, il voulait d'abord y aller seul, en repérage, il me demanda
15 de l'attendre sous un olivier.

C'était l'heure de la sieste. Je me suis endormi contre l'arbre.

Lorsque je me suis réveillé, le jour s'était déjà enfui. J'ai attendu monsieur Ibrahim jusqu'à mi-
20 nuit.

J'ai marché jusqu'au village suivant. Quand je suis arrivé sur la place, les gens se sont précipités sur moi. Je ne comprenais pas leur langue, mais

---

2 f. **le pressentiment:** Vorahnung.
4 **mouais!:** etwa: ooch!, naja!
13 **bouleversé, e:** aufgewühlt, durcheinander.
14 **le repérage:** Auskundschaftung, Erkundung.
22 **se précipiter sur qn:** sich auf jdn. stürzen.

eux me parlaient avec animation, et ils semblaient
très bien me connaître. Ils m'emmenèrent dans une
grande maison. J'ai d'abord traversé une longue
salle où plusieurs femmes, accroupies, gémissaient.
5 Puis on m'amena devant monsieur Ibrahim.

Il était étendu, couvert de plaies, de bleus, de
sang. La voiture s'était plantée contre un mur.

Il avait l'air tout faible.

Je me suis jeté sur lui. Il a rouvert les yeux et
10 souri.

– Momo, le voyage s'arrête là.

– Mais non, on n'y est pas arrivés, à votre mer
de naissance.

– Si, moi j'y arrive. Toutes les branches du fleuve
15 se jettent dans la même mer. La mer unique.

Là, ça s'est fait malgré moi, je me suis mis à
pleurer.

– Momo, je ne suis pas content.

– J'ai peur pour vous, monsieur Ibrahim.

20 – Moi, je n'ai pas peur, Momo. Je sais ce qu'il y a
dans mon Coran.

Ça, c'est une phrase qu'il aurait pas dû dire, ça
m'a rappelé trop de bons souvenirs, et je me suis
mis à sangloter encore plus.

---

4 **accroupi, e:** niedergekauert.
6 **la plaie:** Wunde.
   le bleu: hier: blauer Fleck.
24 **sangloter:** schluchzen.

– Momo, tu pleures sur toi-même, pas sur moi. Moi, j'ai bien vécu. J'ai vécu vieux. J'ai eu une femme, qui est morte il y a bien longtemps, mais que j'aime toujours autant. J'ai eu mon ami Ab-
5 dullah, que tu salueras pour moi. Ma petite épice- rie marchait bien. La rue Bleue, c'est une jolie rue, même si elle n'est pas bleue. Et puis il y a eu toi.

Pour lui faire plaisir, j'ai avalé toutes mes lar- mes, j'ai fait un effort et vlan: sourire!

10 Il était content. C'est comme s'il avait eu moins mal.

Vlan: sourire!

Il ferma doucement les yeux.

– Monsieur Ibrahim!

15 – Chut … ne t'inquiète pas. Je ne meurs pas, Momo, je vais rejoindre l'immense.

Voilà.

Je suis resté un peu. Avec son ami Abdullah, on a beaucoup parlé de papa. On a beaucoup tourné
20 aussi.

Monsieur Abdullah, c'était comme un monsieur Ibrahim, mais un monsieur Ibrahim parcheminé, plein de mots rares, de poèmes sus par cœur, un monsieur Ibrahim qui aurait passé plus de temps à

---

2 **vivre vieux:** alt werden, lange leben.
15 **chut!:** pst!, still!
16 **l'immense** (m.): das/der Unermessliche.
22 **parcheminé, e:** mit Pergamenthaut, zerknittert, ausgemergelt.

lire qu'à faire sonner sa caisse. Les heures où nous tournions au tekké, il appelait ça la danse de l'alchimie, la danse qui transforme le cuivre en or. Il citait souvent Rumi.

5 Il disait:

L'or n'a pas besoin de pierre philosophale, mais le cuivre oui.

Améliore-toi.

Ce qui est vivant, fais-le mourir: c'est ton corps.
10 *Ce qui est mort, vivifie-le: c'est ton cœur.*

Ce qui est présent, cache-le: c'est le monde d'ici-bas.

Ce qui est absent, fais-le venir: c'est le monde de la vie future.

15 *Ce qui existe, anéantis-le: c'est la passion.*

Ce qui n'existe pas, produis-le: c'est l'intention.

Alors, aujourd'hui encore, quand ça ne va pas: je tourne.

---

3 **le cuivre:** Kupfer.
4 **Rumi:** Dschelaladdin Rumi (1207–1273), Philosoph und größter mystischer Dichter des Islam; Begründer des Derwisch-Ordens der Mevleviten.
6 **la pierre philosophale:** der Stein der Weisen.
8 **s'améliorer:** besser werden.
10 **vivifier qc:** etwas beleben, zum Leben erwecken.
11 f. **le monde d'ici-bas:** das Diesseits.
15 **anéantir:** vernichten.

Je tourne une main vers le ciel, et je tourne. Je tourne une main vers le sol, et je tourne. Le ciel tourne au-dessus de moi. La terre tourne au-dessous de moi. Je ne suis plus moi mais un de ces atomes qui tournent autour du vide qui est tout.

Comme disait monsieur Ibrahim:

– Ton intelligence est dans ta cheville et ta cheville a une façon de penser très profonde.

Je suis revenu en stop. Je m'en suis «remis à Dieu», comme disait monsieur Ibrahim lorsqu'il parlait des clochards: j'ai mendié et j'ai couché dehors et ça aussi c'était un beau cadeau. Je ne voulais pas dépenser les billets que m'avait glissés monsieur Abdullah dans ma poche, en m'embrassant, juste avant que je le quitte.

Rentré à Paris, j'ai découvert que monsieur Ibrahim avait tout prévu. Il m'avait émancipé: j'étais donc libre. Et j'héritais de son argent, de son épicerie, et de son Coran.

Le notaire m'a tendu l'enveloppe grise et j'ai sorti délicatement le vieux livre. J'allais enfin savoir ce qu'il y avait dans son Coran.

---

8 **la cheville:** Fußknöchel.
10 **en stop** (m.): per Autostopp, per Anhalter.
10f. **s'en remettre à Dieu:** sich in die Hand Gottes begeben, sich Gott befehlen.
12 **mendier:** betteln.
18 **émanciper qn:** jdn. für volljährig erklären.

Dans son Coran, il y avait deux fleurs séchées et une lettre de son ami Abdullah.

Maintenant, je suis Momo, tout le monde me connaît dans la rue. Finalement, je n'ai pas fait
5 l'import-export, j'avais juste dit ça à monsieur Ibrahim pour l'impressionner un peu.

Ma mère, de temps en temps, elle vient me voir. Elle m'appelle Mohammed, pour pas que je me fâche, et elle me demande des nouvelles de Moïse.
10 Je lui en donne.

Dernièrement, je lui ai annoncé que Moïse avait retrouvé son frère Popol, et qu'ils étaient partis en voyage tous les deux, et que, à mon avis, on les reverrait pas de sitôt. Peut-être c'était même plus la
15 peine d'en parler. Elle a bien réfléchi – elle est toujours sur ses gardes avec moi – puis elle a murmuré gentiment:

– Après tout, ce n'est peut-être pas plus mal. Il y
20 a des enfances qu'il faut quitter, des enfances dont il faut guérir.

Je lui ai dit que la psychologie, ce n'était pas mon rayon: moi, c'était l'épicerie.

– J'aimerais bien t'inviter un soir à dîner, Mohammed. Mon mari aussi aimerait te connaître.

---

8 f. **pour pas que je me fâche** (fam.): damit ich mich nicht ärgere.
14 **pas de sitôt:** nicht so bald.
15 f. **être sur ses gardes** (f.): sich vorsehen, auf der Hut sein.
22 **le rayon:** hier: Fach, Fachgebiet.

– Qu'est-ce qu'il fait?

– Professeur d'anglais.

– Et vous?

– Professeur d'espagnol.

5   – Et on parlera quelle langue pendant le repas? Non, je plaisantais, je suis d'accord.

Elle était toute rose de contentement que j'accepte, non, c'est vrai, ça faisait plaisir à voir: on aurait dit que je venais de lui installer l'eau courante.

10   – Alors, c'est vrai? Tu viendras?

– Ouais, ouais.

C'est sûr que ça fait un peu bizarre de voir deux professeurs de l'Éducation nationale recevoir Mohammed l'épicier, mais enfin, pourquoi pas? Je

15 suis pas raciste.

Voilà, maintenant ... le pli est pris. Tous les lundis, je vais chez eux, avec ma femme et mes enfants. Comme ils sont affectueux, mes gamins, ils l'appellent grand-maman, la prof d'espagnol, ça la fait bi-

20 cher, faut voir ça! Parfois, elle est tellement contente qu'elle me demande discrètement si ça ne me gêne pas. Je lui réponds que non, que j'ai le sens de l'humour.

16 **le pli est pris** (fig.): die Sache läuft.
18 **affectueux, se:** liebevoll.
   le gamin / la gamine (fam.): Kleine(r), Kind.
19 f. **faire bicher qn** (fam.): jdn. glücklich machen.

74

Voilà, maintenant je suis Momo, celui qui tient l'épicerie de la rue Bleue, la rue Bleue qui n'est pas bleue.

Pour tout le monde, je suis l'Arabe du coin.

5   Arabe, ça veut dire ouvert la nuit et le dimanche, dans l'épicerie.

MONSIEUR IBRAHIM
ET LES FLEURS DU CORAN
d'Éric-Emmanuel Schmitt

créé au
5 *Théâtre Les Gémaux de Sceaux (scène nationale)*
et au Théâtre de Narbonne (scène nationale)
en décembre 1999, repris au Festival
d'Avignon 2001, Théâtre des Halles.

Mise en scène et interprétation:
10 Bruno Abraham-Kremer

---

4 **créer:** hier: zum ersten Mal inszenieren, uraufführen.
9 **la mise en scène:** Inszenierung.
 une interprétation: hier: Darstellung.

Editorische Notiz

Der französische Text folgt der Ausgabe: Éric-Emmanuel Schmitt, *Monsieur Ibrahim et les fleurs du Coran*, Paris: Albin Michel, 2001. Das Glossar enthält in der Regel alle Wörter, die nicht zum Grundwortschatz der Wortschatzsammlung *Thematischer Grund- und Aufbauwortschatz Französisch* (Stuttgart: Klett, 2000) zählen, sodass dieser sprachlich relativ einfache Text auch für Leser mit eher geringen Französischkenntnissen verständlich sein sollte.

Im Glossar verwendete französische Abkürzungen

arch.	archaïque (veraltet)
adv.	adverbe
angl.	anglais, anglicisme
f.	féminin
fam.	familier (umgangssprachlich)
fig.	figuré (übertragen)
jur.	juridique (Rechtssprache)
m.	masculin
milit.	militaire (Militärsprache)
néol.	néologisme (Wortschöpfung)
pl.	pluriel
pop.	populaire (salopp)
qc	quelque chose
qn	quelqu'un

Literaturhinweise

I. Werke von Éric-Emmanuel Schmitt

La nuit de Valognes. Arles: Actes Sud, 1991.

Le Visiteur. Arles: Actes Sud, 1993. – Schulausg. *Le Visiteur.* Prés., notes, question et après-texte par Catherine Casin-Pellegrini. Paris: Magnard, 2002. (Classiques & Contemporains. 42.)

Dt. Übers.: *Der Besucher.* Lengwil: Libelle-Verlag, 1997.

Golden Joe. Paris: Albin Michel, 1994.

La secte des Égoïstes. Roman. Paris: Albin Michel, 1994. – Tb.-Ausg.: Paris: Librairie Générale Française, 1996. (Le Livre de Poche. 14050.)

Dt. Übers.: *Die Schule der Egoisten. Roman.* Zürich: Ammann, 2004.

Variations énigmatiques. Paris: Albin Michel. 1996.

Dt. Übers.: *Enigma.* Lengwil: Libelle-Verlag, 1997. – Hörspiel: *Enigma.* Produktion: Mitteldeutscher Rundfunk. Berlin: Der Audio Verlag, 2001.

Diderot ou La philosophie de la séduction. Paris: Albin Michel, 1997.

Le Libertin. Paris: Albin Michel, 1997.

Dt. Übers.: *Der Freigeist.* Lengwil: Libelle-Verlag, 1997. – Hörspiel: *Diderot – Der Freigeist.* Produktion: Mitteldeutscher Rundfunk. Berlin: Der Audio Verlag, 2000.

Milarepa. Paris: Albin Michel, 1997.

Les imaginaires du théâtre. Dossier réalisé par Jean-Claude et Sophie-Justine Lieber. Paris: Gallimard,

1997. (La Nouvelle Revue Française. 534/535.) [Enthält: Agota Kristof: Le Monstre – Joël Jouanneau: L'Œil du taureau – Éric-Emmanuel Schmitt: Le Bâillon.]

Frédérick ou Le Boulevard du crime. Paris: Albin Michel, 1998.

Gesammelte Stücke: *Frédérick oder Boulevard des Verbrechens – Der Besucher – Der Freigeist – Enigma.* Lengwil: Libelle-Verlag, 1999.

Hôtel des Deux Mondes. Paris: Albin Michel, 1999.
Dt. Übers.: *Hotel zu den zwei Welten.* Lengwil: Libelle-Verlag, 2001.

Théâtre 1: *La nuit de Valognes – Le Visiteur – Le Baîllon – L'École du diable.* Paris: Albin Michel, 1999. – Tb.-Ausg. Paris: Librairie Générale Française, 2002. (Le Livre de Poche. 15396.)

L'Évangile selon Pilate. *Roman.* Paris: Albin Michel, 2000. Nouv. éd. 2005. – Tb.-Ausg. Paris: Librairie Générale Française, 2002. (Le Livre de Poche. 15273.)

Monsieur Ibrahim et les fleurs du Coran. Paris: Albin Michel, 2001.
Dt. Übers.: *Monsieur Ibrahim und die Blumen des Koran.* Zürich: Ammann, 2003. – Hörbuch: *Monsieur Ibrahim und die Blumen des Koran.* Berlin: Der Audio-Verlag, 2003.

La part de l'autre. *Roman.* Paris: Albin Michel, 2001. – Tb.-Ausg. Paris: Librairie Générale Française, 2003. (Le Livre de Poche. 15537.)

Lorsque j'étais une œuvre d'art. *Roman.* Paris: Albin Michel, 2002.

Oscar et la dame rose. Paris: Albin Michel, 2002. –

Schulausg.: *Oscar et la dame rose.* Hrsg. von Wolf-
gang Ader und Gerhard Krüger. Stuttgart: Reclam,
2004. (Universal-Bibliothek. Fremdsprachentexte.
9128.)

Dt. Übers.: *Oskar und die Dame in Rosa.* Zürich:
Ammann, 2003. – Hörbuch: *Oskar und die Dame in
Rosa.* Produktion: Norddeutscher Rundfunk. Ber-
lin: Der Audio-Verlag, 2004.

Petits crimes conjugaux. Paris: Albin Michel, 2003.

*Théâtre 2: Golden Joe – Variations énigmatiques – Le
Libertin.* Paris: Librairie Générale Française, 2003.
(Le Livre de Poche. 15599.)

*Ma bibliothèque personnelle. Conférence et lecture du
21 janvier 2004.* Pierre Assouline, interview; Louise
Labé, Denis Diderot, Blaise Pascal [u. a.], auteurs
des textes. Paris: Bibliothèque nationale de France,
2004. [Compact-Disc.]

L'enfant de Noé. Paris: Albin Michel, 2004.

Dt. Übers.: *Das Kind von Noah. Erzählung.* Zürich:
Ammann, 2004.

Ma vie avec Mozart. Paris: Albin Michel, 2005
[Mit 1 CD.]

Dt. Übers.: *Mein Leben mit Mozart.* Zürich:
Ammann, 2005. [Mit 1 CD.]

II. Sekundärliteratur (Auswahl)

www.eric-emmanuel-schmitt.com
sehr ergiebige Homepage des Autors mit einem
Porträt, einer Biografie, einem Interview, bibliogra-
fischen Hinweisen, Auszügen aus Kritiken, sowie

persönlichen Kommentaren des Autors zu seinem Werk

Giquel, Bernard: Portrait d'un favori des «Molières» [aus: Paris Match].

www.eric-emmanuel-schmitt.com/portrait1.htm

Rabaudy, Martine de: Schmitt: «J'ai envie d'air pur». In: L'Express. 23 août 2001.

Vgl. auch http://livres.lexpress.fr./portrait.asp/idC=2328/idTC=5/idR=5/idG=8

Rimbault, David: Monsieur Ibrahim et les fleurs du Coran. In: Revue Spectacle [Internetmagazin] 31 (2002).

http://lespetitsruisseaux.free.fr/31/mribrahim.htm

Villemaire, Louise: Monsieur Ibrahim et les fleurs du Coran. In: Nuit blanche 86 (2002).

www.nuitblanche.com/c_livres_86/f_Schmitt.htm

Nachwort

»Mes trois passions ont toujours été la musique, la
théologie et la métaphysique. La philosophie m'a
déçu et j'ai déçu la musique: je ne voulais pas être un
bon pianiste de trop. La composition m'attirait, mais
très vite, j'ai mesuré mes limites en produisant du
sous-Débussy. Il me restait l'écriture. Comme j'avais
l'amour du théâtre et de la littérature, j'ai choisi cette
voie.«[1] In dieser teilweise ironisierenden Beschreibung seiner künstlerischen Selbstfindung scheint bereits die vielseitige Begabung des Theaterschriftstel-
lers, Romanciers, Essayisten und Musikwissenschaft-
lers Éric-Emmanuel Schmitt auf, der sich seit etwa
1990 zu einem der neuen Stars der Pariser Theater-
und Literaturszene entwickelt hat.

Am 28. März 1960 in Sainte-Foy-lès-Lyon als Sohn
eines Lehrerehepaars mit atheistischer Grundeinstel-
lung geboren, beginnt er mit neun Jahren mit dem Kla-
vierspiel. Seine Leidenschaft für die Musik lässt ihn zunächst an eine Karriere als Komponist denken. Diese
Vorstellung gibt er bei seinem Eintritt ins Collège auf,
als ihn seine Lehrer dazu ermutigen, seine Schreibbe-
gabung weiterzuentwickeln. Zunächst nimmt er aber
weitere Musikstunden am Konservatorium von Lyon.

Mit sechzehn Jahren schon schreibt er sein erstes
Theaterstück *Grégoire, ou pourquoi les petits pois sont-*

1 Martine de Rabaudy, »Schmitt – ›J'ai envie d'air pur‹«, in: *L'Express*, 23 août 2001; vgl. auch http://livres.lexpress.fr.portrait.asp/
idC=2328/idR=5/idTC=5/idE=0.

ils verts, eine Satire über die komischen Seiten verklausulierter Geschlechtserziehung. 1980 schafft der Hochbegabte den Sprung an die Pariser Eliteuniversität *École Normale Supérieure*, erwirbt drei Jahre später die *agrégation* im Fach Philosophie und legt 1986 seine Doktorarbeit mit dem Thema *Diderot et la métaphysique* vor, die in Teilen 1997 in Essayform unter dem Titel *Diderot ou la Philosophie de la Séduction* veröffentlicht werden wird. Ab 1987 übt er drei Jahre lang an einem Gymnasium in Cherbourg, dann an der Universität von Chambéry den Lehrberuf im Fach Philosophie aus.

1991 macht Schmitt zum ersten Mal die Theaterwelt mit *La nuit de Valognes*, einer Variation des Don-Juan-Mythos, auf sich aufmerksam. Sein Erstling wird im September dieses Jahres zunächst im *Espace* in Nantes und im folgenden Monat in der *Comédie des Champs-Élysées* in Paris auf die Bühne gebracht, wobei die renommierten Schauspieler Mathieu Carrière in der Rolle des Don Juan und Micheline Presle als Duchesse de Vaubricourt agieren. Als gelungenes Debüt und Achtungserfolg wird es dann 1992 von der *Royal Shakespeare Company* in Stratford-on-Avon auf den Spielplan gesetzt.

Die dem Stück zu Grunde liegende Handlung, die in einem normannischen Provinzschloss bei Valognes in der Mitte des 18. Jahrhunderts spielt, hat einen durchaus originellen Ansatz. Fünf in die Jahre gekommene adlige Damen, die alle einst Opfer der Verführungskunst Don Juans und dann schnöde verlassen wurden, machen dem immer noch alterslos schönen Herzensbrecher den ›Prozess‹. Seine ›Strafe‹ besteht darin, dass er Angélique de Chiffreville, genannt *la Petite*, ehelichen, ihr treu sein und Kinder mit ihr haben muss.[2] Obwohl sich Don Juan reuig zeigt und die ›Strafe‹ annehmen will, scheitert das Vorhaben der rachsüchtigen Adligen an der Auserwählten: Angélique will keinen geläuterten, altruistisch fühlenden Don Juan ... Die geschliffenen Dialoge des Stücks sind voller Esprit, feinsinnigem Humor und wortreicher Schlagfertigkeit und erinnern in ihrem Duktus des galanten Geplänkels, der *badinage*, an manche Komödien von Marivaux.

Den endgültigen Durchbruch am Theater schafft Schmitt indessen mit *Le Visiteur*, einem Stück, für das ihm 1993 der *Prix Molière* für den besten Autor und 1994 derselbe Preis für das beste Schauspiel verliehen wird. Der Kritiker Bernard Giquel kommentiert Schmitts entscheidenden Schritt auf der Erfolgsleiter so: »À 33 ans, [... Schmitt] s'impose comme le nouvel auteur dramatique qui compte. Lorsque, au théâtre, la qualité du texte est telle qu'il vous donne l'envie de le lire, et d'en connaître l'auteur, vous savez alors qu'il ne s'agit pas d'une simple pièce, mais tout simplement d'une œuvre. Ainsi se présente *Le Visiteur* d'Éric-Emmanuel Schmitt, qui pourrait être la révélation de l'année. L'auteur dramatique qu'on attendait.«[3]

Dieser Einakter in siebzehn Szenen mit vier handelnden Personen (*Freud – l'Inconnu – le Nazi – Anna, la fille de Freud*) besteht aus einem fiktiven Dialog, einer dramatisierten Kontroverse über Metaphysik,

---

2 Éric-Emmanuel Schmitt, *Théâtre*, Paris 2002 (Le Livre de Poche 15396), S. 48.

3 Bernard Giquel, »Portrait d'un favori des *Molières*«, http://www.eric-emmanuel-schmitt.com/portrait1.htm.

Atheismus, Glaubensvakuum und Gotteszweifel und deren Folgen für die Zivilisation, Religions- und Erkenntnisfragen, zwischen dem bereits schwer an Kehlkopfkrebs erkrankten Vater der Psychoanalyse, Sigmund Freud, und dem *Besucher*. Dieser tritt in Gestalt eines genial anmutenden, mit seherischen Qualitäten ausgestatteten *Mythomanen* auf, der aus der Irrenanstalt entwichen zu sein scheint, dessen Identität aber bis zum Schluss des Stücks nicht zweifelsfrei geklärt ist. Ist es Gott oder nur ein Irrer mit genialen Zügen, handelt es sich um ein Traumgebilde Freuds oder eine Projektion seines Unbewussten? Es bleibt dem Zuschauer/Leser selbst überlassen, dies zu entscheiden. Ort und Zeitpunkt der Handlung: Wien nach dem ›Anschluss‹ an das Deutsche Reich, am Abend des 22. April 1938, zwischen Hitlerinvasion am 11. März und Freuds Abreise ins Exil nach Paris am 4. Juni desselben Jahres.

1995 trifft Schmitt auf den Theaterregisseur Pierre Jourdan, der ihm vorschlägt, eine neue französische Übersetzungsfassung von Mozarts *Figaros Hochzeit* vorzulegen, ein Unterfangen, das ihn zwei Jahre lang beschäftigen wird.[4] Später nimmt er auch noch die Neuübersetzung von *Don Giovanni* vor.

In atemberaubendem Schaffenstempo folgen weitere Theatererfolge: *Golden Joe* (1995); *Variations Énigmatiques* (1996), von Alain Delon und Francis Huter am Théâtre Marigny erstinszeniert und dann in Tokio, Berlin, Moskau, Los Angeles und London (mit

4 »Ce que je voulais [...], c'était trouver un texte théâtral audible aujourd'hui sans changer une seule note, y compris lorsque Mozart affecte deux notes à un même son«, http://www.lire.fr/wo_biographie.asp/idC=38096.

Donald Sutherland) auf den Spielplan gesetzt; *Le Libertin* (1997), ein Stück, das ebenfalls für volle Kassen und internationales Aufsehen sorgte und von Gabriel Aghion im Jahr 2000 für das Kino adaptiert wurde; *Milarepa* (1997), ein Monolog über den Buddhismus und erster Teil der *Trilogie de l'Invisible*; *Frédérick ou Le Boulevard du Crime* (1998), am Théâtre Marigny mit Jean-Paul Belmondo in der Hauptrolle inszeniert und fast gleichzeitig in Deutschland in Köln und Baden-Baden auf die Bühne gebracht; *Hôtel des Deux Mondes* (1999), und als vorläufig letztes Erfolgswerk *Monsieur Ibrahim et les fleurs du Coran*, das seit seiner Erstinszenierung im Dezember 1999 am Théâtre de Vichy in Lausanne durch den Regisseur und Schauspieler Bruno Abraham-Kremer[5] viele weitere Stationen in Frankreich hinter sich gebracht hat.[6] Auch in Deutschland war es in der Spielzeit 2001/02 am Stadttheater Würzburg und an der Burghofbühne Dinslaken auf dem Spielplan vertreten. Überhaupt wurde Schmitts Theaterwerk, für das ihn die *Académie Française* mit ihrem *Grand Prix du Théâtre* auszeichnete, in viele Sprachen übersetzt und ist mittlerweile in mehr als dreißig Ländern bekannt.

5 Über ihn heißt es in einer Theaterkritik anlässlich der Wiederaufnahme des Stücks durch das *Studio des Champs-Élysées* im September 2002: »ici intervient l'apport inestimable et non moins artistique de Bruno Abraham-Kremer, à la fois metteur en scène et interprète. La mise en scène est parfaite, mais l'interprétation est sublime [...]. Il a 13 et 80 ans dans la même minute sans que cela paraisse artificiel«, David Rimbault, »*Monsieur Ibrahim et les fleurs du Coran*«, in: *Revue-spectacle*; http://lespetitsruisseaux.free.fr/31/mibrahim.htm.
6 Etwa Théâtre Les Gémaux de Sceaux (Dezember 1999); Théâtre de Narbonne (Dezember 1999); Festival d'Avignon (2001); Studio des Champs-Élysées (September 2002 – Januar 2003).

Éric-Emmanuel Schmitt hat jedoch nicht nur am Theater reüssiert, sondern auch in anderen Literaturgenres Beachtliches geleistet. Neben seinem Essay *Diderot ou La Philosophie de la Séduction* (1997) veröffentlichte er die Romane *La Secte des Égoïstes* (1994) und *L'Évangile selon Pilate* (2000), ein von der Kritik vielbeachtetes und mit dem *Grand Prix des Lectrices de «Elle» Magazine* ausgezeichnetes Buch. Formal und inhaltlich handelt es sich hierbei um ein zweigeteiltes Werk. In einem *ersten Teil* schildert Jesus (Yéchoua) von seiner Warte aus die letzten, von Schmerz und Selbstzweifel erfüllten Tage seines Lebens. In einer Rückschau auf sein kurzes Leben wird erkennbar, wie er privatem, aber egoistischem Glück, wie es mit Rebecca möglich gewesen wäre, die *amour général*, eine altruistisch ausgerichtete Barmherzigkeit, entgegensetzt. Die letzten Stunden vor seiner Kreuzigung zeigen ihn angsterfüllt und ganz und gar unheroisch, was ihn andrerseits zutiefst menschlich macht. Enttäuscht vom Volk, dem seine Qualitäten als Wunderheiler wichtiger sind als seine Botschaft unbedingter Nächstenliebe, Gewaltlosigkeit und selbstloser Hingabe, ernüchtert von der Kleingeisterei und Heuchelei der Phärisäer, geht er dem eigenen Tod entgegen. Im *zweiten Teil* wird im täglichen Briefwechsel zwischen Titus und Pilatus dessen Sichtweise der Botschaft Jesu, seiner Verurteilung und Hinrichtung deutlich. Die Handlung nimmt stellenweise kriminalistische Züge an, aus Tod und Wiederaufstehung Jesu wird der *Ermittlungsfall Yéchoua*. Pilatus, der ›Henker Christi‹, wird am Ende selbst ein Zweifelnder, und mit dem Zweifel stellt sich bei ihm eine leise

Ahnung davon ein, was den christlichen Glauben als Sehnsucht nach dem Übernatürlichen ausmacht.

Im Zentrum des Romans *La Part de l'Autre* (2001) steht mit Adolf Hitler die schicksalsträchtigste Figur des 20. Jahrhunderts. Schmitt hebt den 8. Oktober 1908 als schicksalhaft und alles entscheidend für die Entwicklung des späteren Diktators hervor und stellt die Frage, was passiert wäre, wenn Hitler an jenem Tag in Wien nach zweiter Bewerbung nicht endgültig abgewiesen, sondern zum Kunst- und Architekturstudium an der Kunstakademie zugelassen worden wäre. Von der Erzählstruktur her ergibt sich daraus eine Zweiteilung der Romanhandlung, in der die Werdegänge des Diktators Hitler und des Künstlers Adolf H. parallel geführt und ausgeleuchtet werden.[7] Trotz einiger meisterhaft geschriebener und höchst fantasiereicher Passagen und trotz der unbestreitbaren Originalität der Grundidee des Romans wirkt in Schmitts Darstellung manches sowohl in der Schilderung des ›echten‹ wie auch des ›fiktiven‹ Hitler und eines Deutschlands ohne den größten Massenverführer der Weltgeschichte nicht immer überzeugend.

Zentrale Figur des wohl der Gattung *conte philosophique* zuzuordnenden Werks *Oscar et la Dame rose* (2002) ist der todkranke zehnjährige Oskar, der in

---

7 Auf seiner Homepage gibt Schmitt in einem *Commentaire Personnel* selbst eine tiefenpsychologische Deutung der Hauptfigur: »En donnant l'impression d'écrire la vie d'un autre Hitler, Adolf H., je démontrais que le véritable Hitler n'est pas un autre absolu, coupé de moi, mais qu'il est moi. Le monstre m'habite comme il habite tout homme, comme il habite l'humanité. Il est de notre responsabilité de le tenir toute notre vie en cage ou de le libérer«, http://www.eric-emmanuel-schmitt.com/compart.htm.

den voraussichtlich letzten zwölf Tagen seines Lebens fantasiereiche Briefe an Gott schreibt. Mamie Rose, *la dame rose*, findet diese Briefe und besucht Oskar im Kinderkrankenhaus. Zwischen beiden entwickelt sich eine intensive Beziehung und ein absolutes Vertrauensverhältnis.

Mit dem satirisch gefärbten Roman *Lorsque j'étais une œuvre d'art* (2002) stellt Schmitt erneut seinen enormen Fantasiereichtum und seinen Hang zu skurril ausgefallenen Themen unter Beweis. In dem Werk, in dem ein exzentrischer Künstler einem verzweifelten, ich-schwachen jungen Mann die Verwandlung in ein Kunstwerk vorschlägt, geht es vor allem auch um einen Ansatz direkter Kritik an zeitgenössischer Kunst …

Der als Ich-Erzählung vorliegende Theatermonolog *Monsieur Ibrahim et les fleurs du Coran* bildet den zweiten Teil der mit *Milarepa* begonnenen *Trilogie de l'Invisible*. Nach Buddhismus und Islam soll im noch nicht erschienenen dritten Teil mit dem vorgesehenen Titel *Dernière nuit sur la terre* das Christentum thematisiert werden.

Im Mittelpunkt der Handlung steht der Ich-Erzähler Momo (Moïse), der in der Rückschau Teile seines Lebens ab dem elften Lebensjahr Revue passieren lässt. Das Ganze spielt sich in der (fiktiven) *Rue Bleue* in Paris in den sechziger Jahren des letzten Jahrhunderts ab.[8]

8 Allerdings gibt es in Paris eine Rue Bleue, im 9. Arrondissement. Vgl. dazu http://www.theatredelinvisible.com/les_spectacles/trilogie_ibrahim.html: »›la Trilogie de l'Invisible‹ prend sa source au cœur de ma vie, de mon enfance avec mon grand-père rue Bleue«.

Momo ist jüdischer Herkunft, lebt allein mit seinem Vater, der Rechtsanwalt »ohne Fälle« ist (S. 6). Momos Mutter hat die Familie verlassen und dem Schlüsselkind obliegen folglich sämtliche Hausarbeiten. Als Faktotum fühlt er sich zu Recht überfordert und wie ein Sklave ausgenutzt und legt sich aus Verzweiflung ›Frustspeck‹ zu (»j'étais gros comme un sac de sucreries«, S. 6). Die Beziehung zum distanziert unterkühlten, unnahbaren Vater ist eher ein ›Unverhältnis‹. Dieser gibt sich einsilbig, redet nur ganz selten mit seinem Sohn, und wenn, dann nur, um ihn zurechtzuweisen oder zu bekritteln. Er lebt abgeschottet hinter seinen Akten und Fachbüchern und verschanzt sich in der Arbeit wie in einer Festung.[9] Darüber hinaus ist er geizig (S. 5, 9), was den Sohn schließlich dazu veranlasst, ihn zu hintergehen und zu bestehlen. In einem wiederholten Akt seelischer Grausamkeit misst der Vater Momo ständig an dessen scheinbar perfektem Bruder Popol, der angeblich bei der Mutter lebt (»Popol, c'était l'autre nom de ma nullité«, S. 20; »une perfection vivante«, ebd.). Das von Kälte, Misstrauen und Geheimniskrämerei geprägte Vater-Sohn-Verhältnis treibt Momo im zarten Alter von elf Jahren in die Arme der Dirnen des Viertels. Bei ihnen sucht der Junge Liebesersatz, er fühlt sich von ihnen zum ›Mann‹ gemacht, was natürlich weit gefehlt ist.[10] Als Anerkennungsgeschenk überlässt er derjenigen, die ihn ›entjungfert‹ hat, seinen Teddy als Symbol der verlorenen Kindheit und Unschuld.

9 »Il était clos dans les murs de sa science« (S. 19).
10 »C'était le prix de l'âge d'homme« (S. 6); »Ça y est, j'étais un homme« (S. 7).

Die zentrale Figur in Momos Leben, sein stets verlässlicher, gütiger Berater und weitsichtiger, bisweilen verschmitzt schlitzohriger Mentor ist der Gemischtwarenhändler Monsieur Ibrahim. Seit vierzig Jahren lebt er als »Araber«, der sich selbst aber als Moslem aus dem »Goldenen Halbmond« des östlichen Anatoliens bezeichnet, im jüdischen Umfeld der *Rue Bleue*. Unerschütterlich steht er an Werk- wie Sonntagen in seinem Laden: »Arabe, Momo, ça veut dire ›ouvert de huit heures du matin jusqu'à minuit et même le dimanche‹ dans l'épicerie« (S. 11).

Weil Monsieur Ibrahim viel lächelt, aber wenig spricht, weil er aus stoischer Ruhe große Kraft zu schöpfen scheint, weil er gleichzeitig feste Größe und Notanker in hektischer Umgebung ist,[11] gilt er nicht nur bei Momo, sondern im ganzen Viertel als Weiser. Für seinen jungen Schützling erfüllt er eine Art Brückenfunktion zur Erwachsenenwelt. Er stärkt dessen angeschlagenes Selbstbewusstsein, indem er ihm das Gefühl vermittelt, trotz aller Schwächen und Unzulänglichkeiten angenommen und geliebt zu werden.[12] Doch auch bei der praktischen Lebensbewältigung, zum Beispiel beim Schuhkauf (S. 36), ist Monsieur Ibrahim für Momo unersetzlich. Während der Junge viele Geheimnisse vor seinem Vater hat, kann er mit seinem Tutor über alles reden, was ihn beschäftigt oder bedrückt. Er kann ihm andrerseits aber auch nichts vormachen, so geschickt er dies auch anstellen

---

11 »il semblait échapper à l'agitation ordinaire des mortels [...] ne bougeant jamais, telle une branche greffée sur son tabouret« (S. 9).

12 »Momo, je vai s te dire une chose: je te préfère cent fois, mille fois, à Popol« (S. 27).

mag. Monsieur Ibrahim kommt ihm in seiner unerklärlich geheimnisvollen ›Allwissenheit‹ immer auf die Schliche.[13]

Von noch größerer Wichtigkeit wird Monsieur Ibrahim für den Jungen, als dieser in die größte Krise seines jungen Lebens gerät. Sein von Arbeitslosigkeit betroffener Vater verlässt ihn (S. 37ff.) und begeht wenig später Selbstmord, indem er sich in Marseille vor einen Zug wirft (S. 45). Momo bleibt zwar das Schockerlebnis erspart, seinen verstümmelten Vater identifizieren zu müssen, da Monsieur Ibrahim für ihn in die Bresche springt. Trotzdem fällt er in ein tiefes seelisches Loch, weil er von seinen nächsten Bezugspersonen gleich mehrfach im Stich gelassen wurde: von der Mutter kurz nach der Geburt, vom Vater durch dessen Gefühlskälte, dann durch seinen Weggang und letztendlich durch dessen Selbstmord.

In seiner Verzweiflung bittet Momo den väterlichen Freund, ihn an Kindes Statt anzunehmen, worauf dieser auch bereitwillig eingeht (S. 54). Seiner Mutter hingegen, die nach des Vaters Freitod wieder in sein Leben tritt und sich – wohl aus einem Schuldkomplex heraus – seiner annehmen will, begegnet er kühl. Er gibt sich ihr nicht einmal als ihr Sohn zu erkennen, da er nicht mehr Moïse, das heißt Jude, sondern Sohn des Moslems Ibrahim sein will: »Moi, on m'appelle Momo. [...] C'est un diminutif pour Mohammed« (S. 51).[14] Gleichzeitig sperrt er sich durch seine Ver-

---

13 So sagt ihm Monsieur Ibrahim seine Diebereien auf den Kopf zu (S. 15) und hat das ›Doppelspiel‹, das Momo mit seinem verschwundenen Vater aufzieht, schnell durchschaut (S. 48).
14 Vgl. auch S. 75: »Voilà, maintenant je suis Momo«.

haltensweise gegen ein verlogenes, vordergründiges Versöhnungsszenario mit ihm selbst in der Rolle des ›verlorenen Sohnes‹. Dies hindert ihn allerdings nicht daran, einen späten Frieden mit seiner Mutter zu finden (S. 74).

In den folgenden Tagen und Monaten versucht Monsieur Ibrahim, Momo auf einer Art *voyage initiatique* – einer Erziehungs- und Bildungsreise – die Schönheiten und die ›Werte‹ der Welt, den Weg zum Glück und den Sinn für das ›richtige‹ Leben nahezubringen, wie es ihn die Leitsätze des Koran wegweisend lehrten.[15] Nachdem er ihm schon zuvor Paris gezeigt hat (S. 29 ff.), führt die Reise zunächst in die Normandie (S. 40 f.) und schließlich zum »Goldenen Halbmond«, wo sie nach einer abenteuerlichen Autofahrt landen (S. 59 ff.). Hier, in der Gegend, wo Monsieur Ibrahim geboren wurde, schließt sich für ihn der Lebenskreis, vollzieht sich sein Schicksal. Er stirbt nach einem Autounfall, ohne Bitterkeit, mit dem Gefühl eines erfüllten Lebens und im Bewusstsein, seinen Erziehungsauftrag an Momo vollendet zu haben, um nun eins mit dem unermesslichen Universum zu werden.[16]

In weiser Voraussicht hat Monsieur Ibrahim für Momo vorgesorgt. Er hinterlässt ihm alles Geld, seinen Laden und seinen Koran, den größten Schatz und die Quintessenz spiritueller Erkenntnis und gebündelter Lebensweisheit.[17] Momo bekennt sich offen zum Islam, er übernimmt zur Gründung einer be-

15 »Je sais ce qu'il y a dans mon Coran« (S. 28, 35, 69).
16 »Je ne meurs pas, Momo, je vais rejoindre l'immense« (S. 70).
17 »J'allais enfin savoir ce qu'il y avait dans son Coran« (S. 72).

scheidenen Existenz den Laden des Verstorbenen und tritt aus voller Überzeugung als *Arabe du coin* in dessen Fußstapfen.

Die monologisch angelegte Erzählung schildert eine bisweilen märchenhaft anmutende, dann wieder sehr irdische, seltsam flüchtige und doppelbödige Realität. Diese ambivalente ›Nichtfassbarkeit‹ der Handlung kommt an vielen Stellen zum Ausdruck.

So wird Monsieur Ibrahim gemeinhin für einen Araber gehalten, stammt aber aus dem »Goldenen Halbmond« und ist folglich türkischer (oder persischer?) Moslem. Doch ist auch dies nur die halbe Wahrheit. Er ist kein Anhänger der islamischen legalistischen Gesetzesreligion, sondern bekennt sich zum *Sufismus*, dem mystischen Zweig des Islam (S. 31 f.).[18]

Monsieur Ibrahim gibt sich als verheiratet aus, doch seine Frau tritt nie in Erscheinung. Später erfährt der Leser, dass sie schon früh gestorben sein muss. Popol, der perfekte Bruder, ist, wie sich herausstellt, nur eine imaginäre Projektion des idealen Sohnes in der Vorstellung des Vaters (S. 52).

Auch wenn Schmitt in diesem kurzen Werk ein Sammelsurium an bedenkenswerten Lebensweisheiten, vielleicht gar die Umrisse einer ›Anleitung zum Glücklichsein‹ transportiert, so geschieht dies doch

---

18 Ziel dieser mystischen Frömmigkeit im Islam ist es, die Kluft zwischen Mensch und Gott zu überwinden. Der Sufi versucht, alles ihn von Gott Trennende hinter sich zu lassen, so dass er im Augenblick der Ekstase, der mystischen Selbstentäußerung, absolutes Gottvertrauen erreicht. In *Monsieur Ibrahim* tritt im Tekke dieser Moment beim Dreh- oder Kreiseltanz ein (S. 64).

ganz und gar undogmatisch, ohne jegliche didaktische Penetranz und eher beiläufig. So überzeugt Monsieur Ibrahim Momo *en passant* davon, dass Lächeln glücklich macht (S. 22), dass das, was man den anderen gibt, einem immer auch selbst gehört, das engherzig Behaltene aber auf Dauer verloren ist (S. 42 f.), dass die Langsamkeit das Geheimnis des Glücks in sich birgt (S. 61). Am Beispiel der ursprünglichen Lebensweise des (ländlichen) Griechen will er Momo die Einsicht vermitteln, dass des Menschen höchstes Glück in der Ruhe, der Beschaulichkeit, der richtig verstandenen Muße begründet ist, und dass der Verzicht auf hektische Aktivität letztlich gewinnbringend ist (ebd.).

Die in manchen Teilen tieftraurige Handlung wird kontrapunktisch an vielen Stellen durch Situations- und Wortkomik abgemildert und in dieser Konstellation für den Leser erträglich gemacht. Als Beispiele dieser teils zwerchfellerschütternden Situationskomik seien stellvertretend genannt:

die Beschreibung des Auftritts des Sexidols Brigitte Bardot, das katzengleich verführerisch alle Männer elektrisiert und deren Verstand ausknipst (S. 12);

die Szene, in der Monsieur Ibrahim die Schauspielerin beim Einkauf in seinem Laden übervorteilt und dies auch noch schlagfertig begründet (S. 14 f.);

Monsieur Ibrahims Ratschläge an den Zögling, wie er seinen Vater täuschen kann (S. 16 f.);

Momos Beinsteller, mit der er den diebischen Freier zu Fall bringt (S. 17);

die Beschreibung der Hausmeisterstochter Myriam als sexuelle ›Alleinherrscherin‹ über dreihundert liebeshungrige Pennäler einer Jungenschule (S. 39);

Abdullahs Brief, der als ›Führerschein‹ für Monsieur Ibrahim herhalten muss (S. 58);

die ›Konfessionsdiagnose‹ über den Geruchssinn (S. 62 f.) …

Neben einer Reihe von poetisch originellen Formulierungen und Vergleichen (z. B. »la Seine adore les ponts, c'est comme une femme qui raffole de bracelets«, S. 29) ist Schmitt auch ein Meister der Wortkomik. Momos geiziger Vater schenkt seinem Sohn absichtsvoll ein »Einwegsparschwein« (S. 5), um ihn vor Verschwendung zu bewahren. In Anspielung auf Momos eventuelle Zahnspange und seinen geplanten Dirnenbesuch gibt Monsieur Ibrahim zu bedenken: »Imagine-toi, rue du Paradis, avec *de la ferraille dans la bouche*: à laquelle tu pourrais encore faire croire que tu as seize ans?« (S. 28). Umwerfend komisch wirkt auch Monsieur Ibrahims Definition von Luxus, angesichts der aus Angst vor Einbruch spärlich bestückten Vitrinen der Edelcouturiers und Modezaren in der Rue du Faubourg-Saint-Honoré: »C'est ça, le luxe, […] rien dans la vitrine, rien dans le magasin, tout dans le prix« (S. 30).

Mit der hier vorliegenden unprätentiösen Erzählung, in der Ernsthaftigkeit, Melancholie und feinsinniger Humor eine glückliche Verbindung eingehen, schafft Éric-Emmanuel Schmitt bei seiner Leserschaft Betroffenheit und zwingt zum Nachdenken über das Verhältnis der Religionen zueinander. Er legt einen skizzenhaften Gegenentwurf zur hasserfüllten, rachsüchtigen Gedankenwelt islamistischer Fundamentalisten vor, indem er das friedvolle, mystische und humanitäre Potenzial des Islam in den Vordergrund stellt, wie es vor allem im *Sufismus* zum Ausdruck kommt. Momo erfährt am eigenen Leib, wie sich im Tekke beim Drehtanz der Derwische Bösartigkeit und Hass verflüchtigen: »J'avais la haine qui se vidangeait. [...] Plus le corps devient lourd, plus l'esprit devient léger« (S. 65; vgl. auch S. 72 f.).

Monsieur Ibrahim et les fleurs du Coran – eine literarische Miniatur und erzählerisches Kleinod von hoher Güte, ein mit zivilisationskritischen Spitzen gespickter Aufruf zur Entdeckung der Langsamkeit, zu Nonkonformismus und Antirassismus, zur Toleranz gegenüber Andersdenkenden, zur Versöhnung und Besinnung auf ein Weltethos, das sich auf das Verbindende zwischen den großen Religionen einlassen sollte: »Avec Monsieur Ibrahim, je me rendais compte que les juifs, les musulmans et même les chrétiens, ils avaient eu plein de grands hommes en commun avant de se taper sur la gueule« (S. 43).

Ernst Kemmner

Inhalt

Französische Fremdsprachentexte

IN RECLAMS UNIVERSAL-BIBLIOTHEK

Romane

Honoré de Balzac: Le Colonel Chabert. 132 S. UB 9159

Tahar Ben Jelloun: Les Raisins de la galère. 176 S. UB 9056

Albert Camus: L'Étranger. 165 S. UB 9169

Didier van Cauwelaert: Un aller simple. 229 S. UB 9109

Marguerite Duras: Moderato cantabile. 124 S. UB 9032

Annie Ernaux: Une Femme. 95 S. UB 9278

Michel Houellebecq: Extension du domaine de la lutte. 227 S. UB 9091

Agota Kristof: Hier. 141 S. UB 9096

François Mauriac: Thérèse Desqueyroux. 173 S. UB 9230

Jean-Claude Mourlevat: L'enfant Océan. 167 S. UB 9117

Amélie Nothomb: Robert des noms propres. 175 S. UB 9121

Yann Queffélec: Noir Animal ou la Menace. 147 S. UB 9089

Christiane Rochefort: Les Petits Enfants du siècle. 167 S. UB 9265

Françoise Sagan: Aimez-vous Brahms ... 143 S. UB 9238

Éric-Emmanuel Schmitt: Monsieur Ibrahim et les fleurs du Coran. 101 S. UB 9118 – Oscar et la dame rose. 120 S. UB 9128 – L'enfant de Noé. 175 S. UB 9147

Voltaire: Candide ou l'Optimisme. 184 S. UB 9221

Philipp Reclam jun. Stuttgart

Französische Fremdsprachentexte

IN RECLAMS UNIVERSAL-BIBLIOTHEK

Dramen, Drehbücher

Jean Anouilh: Antigone. Pièce en un acte. 118 S. UB 9227
– L'Alouette. 199 S. UB 9126

Claire Devers / Jean-Louis Benoît: La Voleuse de Saint-Lubin. Scénario. 126 S. UB 9125

Eugène Ionesco: La Cantatrice chauve. Anti-pièce. 69 S.
UB 9164

Mathieu Kassovitz: La Haine. Scénario. 155 S. UB 9081

Louis Malle: Au revoir, les enfants. Scénario. 141 S.
UB 9290

Molière: L'Avare. Comédie en cinq actes. 144 S. UB 9022
– Le Malade imaginaire. Comédie en trois actes. 127 S.
UB 9217 – Le Tartuffe ou l'Imposteur. Comédie en cinq
actes. 131 S. UB 9087

Jean Racine: Phèdre. Tragédie en cinq actes. 135 S.
UB 9299

Yasmina Reza: Trois versions de la vie. 119 S. UB 9108

Jules Romains: Knock ou Le Triomphe de la Médecine.
Comédie. 111 S. UB 9154

Edmond Rostand: Cyrano de Bergerac. Comédie héroïque. 240 S. UB 9026

Jean-Paul Sartre: Morts sans sépulture. Pièce en deux
actes. 109 S. UB 9175

Philipp Reclam jun. Stuttgart

Französische Fremdsprachentexte

IN RECLAMS UNIVERSAL-BIBLIOTHEK

Erzählungen

Marcel Aymé: Le Passe-muraille et autres nouvelles.
88 S. UB 9179
Le Passe-muraille – Le Proverbe – Les Clochards

Boileau/Narcejac: Le Fusil à flèches. Contes policiers.
85 S. UB 9269
Remords – Le Corbeau – Un Coupable – Une Femme
de tête – Le Fusil à flèches

Albert Camus: L'Hôte / Le Premier Homme. Extraits
d'un roman inachevé. 164 S. UB 9041

Contes d'amour. 159 S. UB 9014
Émile Zola – Guy de Maupassant – Henri Barbusse –
Jean Giraudoux – André Maurois – Paul Morand – Mar-
cel Aymé – Jacques Sternberg – Christine Arnothy –
Georges-Olivier Châteaureynaud – Jean-Paul Dubois

Contes provençaux. 152 S. UB 9052
Joseph Roumanille – Frédéric Mistral – Alphonse Dau-
det – Henri Bosco – Jean Giono – Emmanuelle de
Marande

Conteurs du Maghreb. 159 S. UB 9036
Azouz Begag – Tahar Ben Jelloun – Rachid Mimouni –
Mohammed Dib – Assia Djebar

Conteurs français du XXᵉ siècle. 192 S. UB 9046
Jules Renard – Sidonie-Gabrielle Colette – André Mau-
rois – Jean Giono – Julien Green – Marcel Aymé – Nathalie
Sarraute – Marguerite Yourcenar – Albert Camus – Mar-
guerite Duras – Boris Vian – Michel Tournier – Françoise
Sagan – J. M. G. Le Clézio – Jean-Paul Dubois

Conteurs franco-canadiens. 168 S. UB 9067

Félix Leclerc – Yves Thériault – Jacques Ferron – Roch Carrier – Suzanne Jacob – Micheline La France – Marilù Mallet – Jean-Yves Soucy – Monique Proulx – Louis Hamelin – Stanley Péan

Conteurs francophones noirs. 194 S. UB 9074

Myriam Warner-Vieyra – René Depestre – Joseph Zobel – Maryse Condé – Kitia Touré – Henri Lopes – Emmanuel Boundzéki Dongala – Jean-Luc Raharimanana – Ousmane Sembène

Maurice Druon: Tistou les pouces verts. 134 S. UB 9282

Les Écrivains à l'école. Récits et nouvelles. 184 S. UB 9115

Gustave Flaubert – Alphonse Daudet – Colette – Marcel Pagnol – Eugène Ionesco – Maurice Druon – Raymond Queneau – Albert Camus – Jean-Paul Sartre – Jacques Lanzmann – Marguerite Duras – Françoise Giroud – Daniel Pennac – Robert Bober – Pierre Ferran

Gustave Flaubert: Un Cœur simple. Conte. 91 S. UB 9200

Anna Gavalda: Je voudrais que quelqu'un m'attende quelque part. 255 S. UB 9105

Petites pratiques germanopratines – I. I. G. – Cet homme et cette femme – The Opel touch – Ambre – Permission – Le fait du jour – Catgut – Junior – Pendant des années – Clic-clac – Épilogue

Guy de Maupassant: Boule de suif. Nouvelle. 96 S. UB 9011

Guy de Maupassant: Six contes. 138 S. UB 9037

Le Gueux – La Ficelle – La Parure – La Folle – L'Aventure de Walter Schnaffs – Le Horla

Guy de Maupassant: Le Vagabond – Coco. Textes et dossier. 96 S. UB 9116

Prosper Mérimée: Carmen. Nouvelle. 111 S. UB 9171

Nouvelles françaises contemporaines. 167 S. UB 9012

Paul Fournel – Jean-Paul Dubois – Christiane Baroche – Jean Cayrol – Danièle Sallenave – Michel Tournier – Jacques Sternberg – Georges-Olivier Châteaureynaud – Annie Saumont – Jean Vautrin

Paris des écrivains. Récits et nouvelles. 191 S. UB 9113

Louis-Sébastien Mercier – Nicolas-Edme Rétif de la Bretonne – Victor Hugo – Charles Baudelaire – Émile Zola – Léo Malet – Jacques Sternberg – Annie Ernaux – Didier Daeninckx – Jean Rolin – Jean-Bernard Pouy

Sempé/Goscinny: Le Petit Nicolas. Choix de textes. 75 S. 26 Ill. UB 9204

Le Football – Je fume – On a eu l'inspecteur – Les Carnets – C'est Papa qui décide – La Plage, c'est chouette – On est rentrés

Georges Simenon: L'Amoureux de Mme Maigret. 78 S. UB 9291

Michel Tournier: Contes et petites proses. 85 S. UB 9280

Amandine ou Les Deux Jardins – Pierrot ou Les Secrets de la nuit – Barbedor – Réponse – Les Fiancés de la plage – Le Fantôme d'Arles – De Jérusalem à Nuremberg

Fred Vargas: Coule la Seine. Nouvelles policières. 192 S. UB 9136

Salut et liberté – La nuit des brutes – Cinq francs pièce

Philipp Reclam jun. Stuttgart

Französische Literatur
in deutscher Übersetzung

Alain-Fournier: *Der große Meaulnes.* 270 S. UB 9304

Das altfranzösische Rolandslied. Zweispr. 435 S. UB 2746

Anouilh: *Jeanne oder Die Lerche.* 112 S. UB 8970

Balzac: *Eugénie Grandet.* 240 S. UB 2108 – *Die Frau von dreißig Jahren.* 263 S. UB 1963 – *Oberst Chabert.* 116 S. UB 2107 – *Vater Goriot.* 360 S. UB 2268

Baudelaire: *Die Blumen des Bösen.* 157 S. UB 5076 – *Les Fleurs du Mal / Die Blumen des Bösen.* Zweispr. 514 S. 9 Abb. UB 9973 – auch geb.

Chrétien de Troyes: *Erec et Enide / Erec und Enide.* Zweispr. 453 S. UB 8360 – *Perceval.* Zweispr. 683 S. UB 8649

Corneille: *Der Cid.* 64 S. UB 487 – *Le Cid / Der Cid.* Zweispr. 327 S. UB 9398

Daudet: *Briefe aus meiner Mühle.* 208 S. UB 3227

Diderot: *Jacques der Fatalist und sein Herr.* 360 S. UB 9335 – *Rameaus Neffe.* 189 S. UB 1229

Dumas: *Die Kameliendame.* 96 S. UB 245

Flaubert: *Madame Bovary.* 564 S. UB 5666 – auch geb. – *Salammbô.* 366 S. UB 1650 – *Drei Erzählungen.* 191 S. UB 8972

Französische Chansons. Von Béranger bis Barbara. Zweispr. 462 S. UB 8364

Französische Lyrik. 50 Gedichte. Zweispr. 160 S. UB 18309

Gide: *Die Pastoral-Symphonie.* 79 S. UB 8051

Giraudoux: *Die Irre von Chaillot.* 103 S. UB 9979 – *Undine.* 111 S. UB 8902

Huysmans: *Gegen den Strich.* 317 S. UB 8754 – *Tief unten.* 375 S. UB 8984

Ionesco: *Die kahle Sängerin.* 61 S. UB 8370 – *Die Stühle. Der neue Mieter.* 104 S. UB 8656 – *Die Unterrichtsstunde.* 59 S. UB 8608

Jarry: *König Ubu.* 80 S. UB 9446

König Artus und seine Tafelrunde. 760 S. UB 9945

La Fayette: *Die Prinzessin von Clèves.* 236 S. UB 7986

La Fontaine: *Fabeln.* Zweispr. 448 S. UB 1718 – *Die Fabeln.* 430 S. 16 Ill. UB 1719

La Rochefoucauld: *Maximen und Reflexionen.* 79 S. UB 678

Leprince de Beaumont: *La Belle et la Bête / Die Schöne und das Tier.* Zweispr. 48 S. UB 9608

Marivaux: *Das Spiel von Liebe und Zufall.* 78 S. UB 8604

Maupassant: *Bel-Ami.* 416 S. UB 9686 – *Fettklößchen.* 70 S. UB 6768 – *Novellen.* 312 S. UB 4297 – *Der Schmuck. Der Teufel. Der Horla.* 63 S. UB 6795

Mérimée: *Carmen.* 86 S. UB 1602 – *Colomba.* 176 S. UB 1244 – *Mateo Falcone. Das Blaue Zimmer.* Zweispr. 80 S. UB 9795

Molière: *Amphitryon.* 72 S. UB 8488 – *L'Avare / Der Geizige.* Zweispr. 275 S. UB 8040 – *Der Bürger als Edelmann.* 87 S. UB 5485 – *Le Bourgeois gentilhomme / Der Bürger als Edelmann.* Zweispr. 224 S. UB 8868 – *Dom Juan ou Le Festin de pierre / Don Juan oder Der steinerne Gast.* Zweispr. 237 S. UB 8556 – *Don Juan.* 64 S. UB 5402 – *Der eingebildete Kranke.* 78 S. UB 1177 – *Der Geizige.* 88 S. UB 338 – *Die gelehrten Frauen.* 104 S. UB 18328 – *Le Malade imaginaire / Der eingebildete Kranke.* Zweispr. 256 S. UB 7697 – *Der Menschenfeind.* 76 S. UB 394 – *Le Misanthrope / Der Menschenfeind.* Zweispr. 237 S. UB 8924 – *Les Précieuses Ridicules / Die lächerlichen Preziösen.* Zweispr. 211 S. UB 461 – *Scapins Streiche.* 64 S. UB 8544 – *Die Schule der Frauen.* 79 S. UB 588 – *Tartuffe.* 80 S. UB 74 – *Le Tartuffe ou L'Imposteur / Der Tartuffe oder Der Betrüger.* Zweispr. 317 S. UB 8353

Montaigne: *Die Essais*. 400 S. UB 8308

Montesquieu: *Persische Briefe*. 384 S. UB 2051

Pascal: *Gedanken*. 571 S. UB 1622

Perrault: *Sämtliche Märchen*. 141 S. 10 Ill. UB 8355

Prévost: *Manon Lescaut*. 208 S. UB 937

Rabelais: *Gargantua*. 279 S. UB 8764

Racine: *Phädra*. 63 S. UB 54 – *Phèdre / Phädra*. Zweispr. 255 S. UB 839

Rimbaud: *Une Saison en Enfer / Eine Zeit in der Hölle*. Zweispr. 110 S. UB 7902 – *Illuminations / Farbstiche*. Zweispr. 131 S. UB 8728

Robbe-Grillet: *Die Jalousie oder die Eifersucht*. 133 S. UB 8992

Rodenbach: *Das tote Brügge*. 96 S. UB 5194

Romains: *Knock oder Der Triumph der Medizin*. 104 S. UB 9662

Rostand: *Cyrano von Bergerac*. 156 S. UB 8955

Rousseau: *Emile oder Über die Erziehung*. 1030 S. UB 901 – *Träumereien eines einsamen Spaziergängers*. 215 S. UB 18244

Saint-Exupéry: *Durst*. 62 S. UB 7847

Sartre: *Die ehrbare Dirne*. 46 S. UB 9325

Verlaine: *Gedichte: Fêtes galantes, La Bonne Chanson, Romances sans paroles*. Zweispr. 215 S. 11 Abb. UB 8479

Villon: *Das Kleine und das Große Testament*. Zweispr. 336 S. UB 8518

Voltaire: *Candid*. 120 S. UB 6549 – *L'Ingénu / Der Freimütige*. Zweispr. 256 S. UB 7909

Zola: *Germinal*. 622 S. UB 4928 – *Thérèse Raquin*. 271 S. UB 9782

Philipp Reclam jun. Stuttgart

La Littérature française

Une anthologie

Herausgegeben von Karl Stoppel
335 S. UB 9086

Diese Textsammlung präsentiert vom ausgehenden Mittelalter bis zur Gegenwart die großen französischen Autoren in prägnanten Auszügen aus Romanen, Memoiren, Erzählungen, Essays, in charakteristischen Dramenszenen, in Aphorismen, Chansons und Gedichten.

XVe/XVIe siecle

Villon – Rabelais – Du Bellay – Ronsard – Montaigne

XVIIe siècle

La Rochefoucauld – La Fontaine – Molière – Pascal – Madame de Sévigné – Racine – La Bruyère – Saint-Simon

XVIIIe siècle

Marivaux – Montesquieu – Voltaire – Rousseau – Diderot – Beaumarchais – Laclos – Mercier

XIXe siècle

Chateaubriand – Lamartine – Vigny – Hugo – Stendhal – Balzac – Nerval – Baudelaire – Flaubert – Verlaine – Rimbaud – Zola – Mallarmé – Maupassant – Jarry

XXe siècle

Proust – Valéry – Gide – Apollinaire – Desnos – Giraudoux – Saint-John Perse – Éluard – Saint-Exupéry – Prévert – Sartre – Anouilh – Camus – Ionesco – Robbe-Grillet – Tournier – Duras – Houellebecq

Philipp Reclam jun. Stuttgart